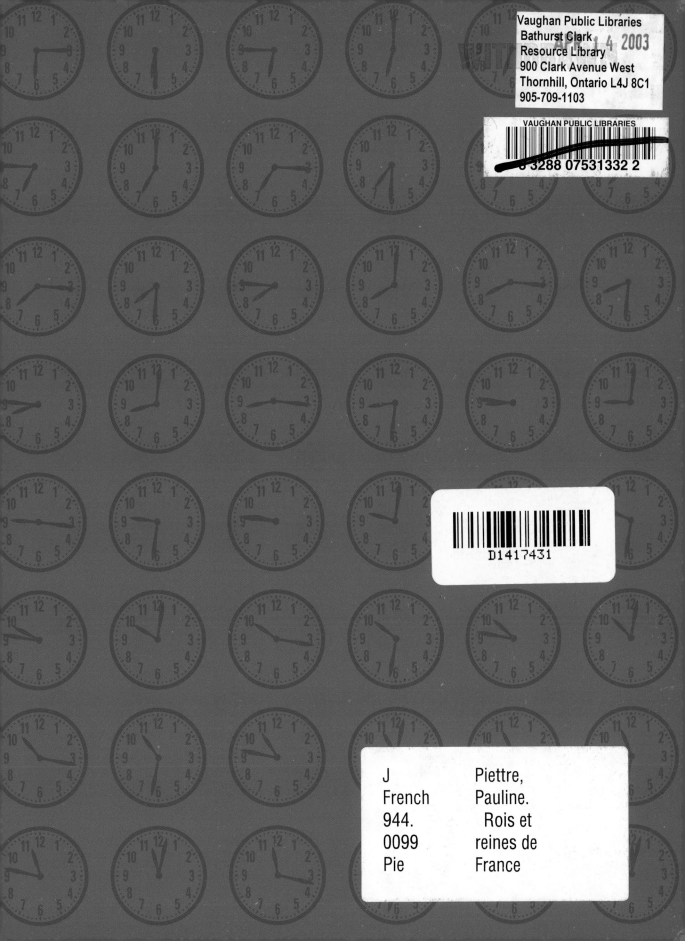

**REGARD JUNIOR**

Un voyage dans le Temps et l'Histoire

# Rois et reines de France

Textes de Pauline Piettre

Illustrations de
Pascale Desmazières,
Stéphane Lacroix,
Laetitia Lesaux,
Jacques Ristorcelli,
Agnès Winczewska

Collection dirigée par
Dominique Gaussen

**MANGO** *JEUNESSE*

# dans la même collection :

 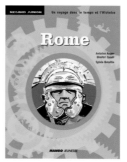  

**REGARD JUNIOR**
Un voyage dans le Temps et l'Histoire

Les Mérovingiens : illustrations de Jacques Ristorcelli

Les Carolingiens : illustrations de Laetitia Lesaux

Les Capétiens : illustrations de Pascale Desmazières

Les Valois : illustrations de Agnès Winczewska

Les Bourbons : illustrations de Stéphane Lacroix

Conception graphique et réalisation :
Studio Mango

Imprimé en Italie

© 2002 Éditions Mango
Dépôt légal : novembre 2002
ISBN : 2-7404-1475-7
Loi n°49.956 du 16 juillet 1949 sur les publications
destinées à la jeunesse

# Sommaire

# Quelques dates clés

**481** : Clovis est choisi par les guerriers francs pour succéder à son père Childéric.

**486** : Par la victoire de Soissons, Clovis met fin à la présence romaine en Gaule.

**496** : Clovis remporte la victoire de Tolbiac sur les Alamans : il décide de se convertir au christianisme.

**498 ou 499** : Baptême de Clovis à Reims par saint Rémi.

**537** : Les Francs dominent l'ensemble de la Gaule.

**629-639** : Règne de Dagobert Ier : un des plus grands rois de la dynastie mérovingienne, après lui, la dynastie décline avec les « rois fainéants ».

**732** : Charles Martel arrête les Arabes à Poitiers.

# Les Mérovingiens

 **Clovis** 👑 481 à 511

 **Clotilde**

 **Clotaire I^er** 👑 558 à 561

 **Chilpéric I^er** 👑 561 à 584

 **Clotaire II** 👑 584 à 629

 **Dagobert I^er** 👑 629 à 639

**Les rois fainéants**

# Clovis
## [vers 466-511]

👑 481 à 511

## Le sais-tu ?

• Clovis (c'est-à-dire Louis) devient le roi d'un peuple, et non d'un pays, vers 15 ans. Il meurt en 511, il a près de 46 ans. Il est enterré à Paris, sa capitale. Quatre fils lui survivent : Thierry, né de mère inconnue, et les trois fils de la reine Clotilde : Clodomir, Childebert et Clotaire.

• Les Francs (mot qui veut dire « libre ») apparaissent au cours du IIIᵉ siècle : ils sont un peuple de guerriers originaire de la région du Rhin.

• La dynastie des Mérovingiens règne sur la Gaule pendant deux siècles et demi, jusqu'en 751.

• Seuls les princes de sang royal ont le droit de porter une longue chevelure : s'ils sont tondus ou ont les cheveux coupés ras, comme le reste de la population, ils sont écartés du pouvoir.

# Pourquoi « roi des Francs » et non « roi de France » ?

## Qui es-tu Clovis ?

Clovis est le fils de Childéric I$^{er}$, roi des Francs Saliens. Ce peuple de guerriers germaniques contrôle le nord de la Gaule. C'est Mérovée, le grand-père de Clovis, qui a donné son nom à la dynastie des Mérovingiens. En 481, Clovis est choisi pour succéder à son père : les guerriers francs le proclament roi en l'élevant sur le pavois (un grand bouclier), il n'a alors que 15 ou 16 ans. Clovis a les cheveux longs, signe de puissance et privilège des hommes qui détiennent le pouvoir à cette époque. Le roi mérovingien est avant tout un chef militaire entouré de guerriers.

## Clovis le conquérant

À l'époque de Clovis, les Romains sont encore présents en Gaule : ils sont représentés par le gouverneur Syagrius qui, installé à Soissons, est battu par Clovis, en 486. C'est à cette occasion que se situe le fameux épisode du vase de Soissons : en s'emparant de la ville, les hommes pillent les églises et volent un vase d'une grande valeur que Clovis promet de rendre. Comme de coutume, le butin est amassé et doit être tiré au sort entre tous. Clovis demande qu'on lui cède le vase ; un soldat, furieux, prend sa hache et cabosse le vase en criant : « Tu ne recevras que ce que le sort te donnera ». Clovis ne dit rien et se venge peu après : passant en revue son armée sur le Champ de Mars, il reconnaît l'homme et lui plante sa hache dans la tête en lui disant : « Ainsi as-tu traité le vase de Soissons » !

Clovis remporte plusieurs victoires sur les peuples barbares des alentours : sur les Alamans, lors de la bataille de Tolbiac (496), et sur les Wisigoths à Vouillé (507). À sa mort, en 511, le royaume franc s'étend de la Manche aux Pyrénées et du Rhin à l'Atlantique. Mais, selon la coutume franque, le royaume est partagé entre ses fils.

## La conversion de Clovis

Clovis est marié à Clotilde une princesse catholique, religion qu'il ne partage pas. L'histoire raconte que lors de la bataille de Tolbiac, et voyant ses armées en difficulté, il implore le « Dieu de Clotilde » et promet de se convertir s'il gagne. Victorieux, il se fait baptiser à Reims, la nuit de Noël, avec plusieurs milliers de ses guerriers, mais aussi avec sa sœur, Alboflède. L'évêque Rémi lui dit : « Adore ce que tu as brûlé et brûle ce que tu as adoré. » Clovis devient le premier souverain catholique d'Europe et unit, ainsi, le pouvoir politique à l'Église.

# Clotilde

[vers 475-548]

## Le sais-tu ?

• Clotilde se marie avec Clovis vers 18 ans et a cinq enfants, dont une fille, Clotilde.
À Paris, le couple royal occupe un palais sur l'île de la Cité. Elle meurt à plus de 70 ans. Enterrée au côté de Clovis, elle est canonisée par le pape dès le V$^e$ siècle.

• À son époque, un pèlerinage célèbre est consacré à saint Martin de Tours.

• Chez les Mérovingiens, tout fils de roi est roi lui-même, il faut donc lui trouver un royaume. Par ambition, cette pratique pousse souvent au fratricide !

• À l'époque mérovingiene, les femmes portent de très beaux bijoux : des fibules (broches) souvent dorées, mais aussi des bagues (en bronze, en or ou en argent), des boucles d'oreilles et des bracelets.

# Une reine sainte
# et une grand-mère meurtrie

### Clotilde : une reine influente

Clotilde est la nièce du roi des Burgondes, peuple d'origine scandinave qui s'est installé dans la région de Lyon et de Genève (ils donneront leur nom à la Bourgogne). Clotilde épouse Clovis en 493, et c'est l'évêque de Reims, Rémi, qui pousse à ce mariage. Catholique comme sa mère Caretène, Clotilde tente de convertir Clovis qui est païen. Son influence sur lui est grande et elle parvient à obtenir son accord pour faire baptiser ses enfants. Mais elle doit attendre la victoire des Francs sur les Alamans, en 496, pour que Clovis accepte de se faire baptiser à son tour.

### Le partage du royaume franc et ses conséquences

Après la mort de Clovis, Clotilde joue le rôle de régente auprès de ses fils encore adolescents. Le royaume est partagé en quatre : Thierry I$^{er}$ obtient la région de l'Est autour de Reims, Clodomir reçoit l'Ouest et fait d'Orléans sa capitale, Childebert se fixe à Paris et règne sur une région qui s'étend de la Seine à la Loire, et Clotaire, installé à Soissons, administre le Nord.

Peu de temps après, Clodomir se fait tuer lors d'une bataille contre les Burgondes : il laisse trois fils qui sont recueillis par leur grand-mère Clotilde. Childebert et Clotaire décident alors d'éliminer leurs neveux pour s'emparer des terres de leur frère.

### Clotilde tente de protéger ses petits-enfants

Clotilde se laisse abuser par ses fils qui lui retirent les enfants de Clodomir en lui promettant de les placer sur le trône de leur père. Peu après, Childebert et Clotaire envoient auprès de Clotilde un certain Arcadius, porteur de ciseaux et d'une épée. Celui-ci la place devant un cruel dilemme : soit elle laisse ses petits-fils se faire tondre les cheveux, soit ils sont mis à mort. Clotilde, désespérée, aurait répondu : « S'ils ne peuvent pas régner, je préfère les voir morts que tondus ». Clotaire égorge alors deux des enfants, mais le troisième, Clodoald, parvient à s'enfuir. À l'âge adulte ce dernier fonde un monastère : il est connu sous le nom de saint Cloud.
Lassée de ces assassinats, Clotilde préfère se retirer à Tours et ne joue plus aucun rôle.

9

# Clotaire I<sup>er</sup>

[ vers 497-561 ]

♛ 558 à 561

## Le sais-tu ?

• Clotaire a vécu près de 64 ans, mais ne règne que trois ans sur l'ensemble du royaume franc.

• L'histoire de Clovis et de ses descendants est connue grâce à quelques textes, et surtout à « L'histoire des Francs » écrite par Grégoire de Tours à la fin du VI<sup>e</sup> siècle.

• À l'époque mérovingienne, le peuple est plutôt bien nourri, et le commerce avec l'Angleterre, l'Allemagne et l'Espagne est déjà une pratique courante.

# Un roi sanguinaire et rusé

## Clotaire : un roi cruel

Comme chacun de ses frères, Clotaire porte le titre de roi des Francs. De tous les fils de Clovis, Clotaire est certainement le plus « barbare ». En effet, il n'hésite pas à égorger deux de ses neveux pour s'emparer de leurs terres, et lorsque son fils se révolte contre lui, il le fait brûler avec femme et enfants !

## Il faut parfois se méfier de ses frères !

Avec ses frères, Thierry et Childebert, Clotaire lutte contre les Wisigoths (qui sont présents en Espagne), annexe le royaume des Burgondes, et s'empare aussi de territoires allemands, comme la Thuringe. Mais les rivalités sont grandes entre les frères. Thierry cherche d'ailleurs à se débarrasser de Clotaire et le convie à un guet-apens. Dans une pièce, il fait dresser une grande tenture le long des murs, derrière laquelle il place des gardes prêts à bondir sur Clotaire. Malheureusement, la tenture n'est pas assez longue et l'on peut voir les pieds des soldats ! Clotaire n'est pas dupe et Thierry comprend que son stratagème a échoué ; pour se faire pardonner, il lui offre un très beau plat en argent.

## Un homme à femmes

Clotaire a une vie conjugale agitée. On sait qu'il eut au moins six femmes. La plus célèbre d'entre elles est sans aucun doute sa deuxième femme, Radegonde. Celle-ci, fille d'un roi de Thuringe, avait été emmenée prisonnière par Clotaire qui l'épousa peu après. Femme cultivée et raffinée, elle est très vite horrifiée par la violence de son mari. En 538, elle parvient à faire rompre son mariage par saint Médard, et fonde un monastère à Poitiers.

Une autre femme de Clotaire, Ingonde, vient un jour lui demander de trouver un « homme riche et sage » pour sa sœur Arégonde. Clotaire lui répond quelques jours plus tard qu'il n'a pas trouvé mieux que lui-même. Ainsi, les deux sœurs règnent en même temps pendant plusieurs années !

## Le royaume franc encore divisé

Après la mort de ses frères, Thierry et Childebert, Clotaire s'empare de leurs territoires et rétablit pendant trois ans (558-561) l'unité du royaume franc. Mais à sa mort en 561, la tradition se perpétue et le royaume est à nouveau morcelé entre ses fils : Caribert, Gontran et Sigebert (fils d'Ingonde), et Chilpéric (fils d'Arégonde).

# Chilpéric I<sup>er</sup>

[539-584]

 **561 à 584**

## Le sais-tu ?

• Chilpéric a vécu 45 ans. À sa mort, il laisse un fils âgé de quatre mois, le futur Clotaire II, fils de Frédégonde. Tous ses autres fils ont été assassinés.

• Suivant la justice germanique, les Mérovingiens maintiennent le droit à la vengeance familiale et le principe qu'une somme d'argent doit être payée pour les crimes et les délits. La loi salique (recueil des coutumes des Francs Saliens) est rédigée dans ce sens au début du VI<sup>e</sup> siècle. Elle exclue, par exemple, les femmes de la succession pour éviter qu'elles ne transmettent la terre des ancêtres à la famille de leur mari et interdit le divorce. La loi précise aussi des règles de justice : « Si quelqu'un frappe autrui dans les côtes : il doit 30 sous. S'il arrache à autrui un pouce, il doit 50 sous, mais si le pouce reste accroché : 30 sous ».

# Était-il hystérique ?

### Chilpéric : un roi qui a mauvaise réputation

Chilpéric est le fils de Clotaire I<sup>er</sup>. Dès la mort de son père, en 561, il cherche à s'emparer des terres de ses demi-frères (Sigebert, Gontran et Caribert). Il s'installe à Soissons puis à Tournai, au nord du royaume. Après la mort de Caribert, il acquiert le Poitou et la Touraine. Il est connu pour être un ivrogne, un homme brutal assoiffé de pouvoir et a des accès de violence incontrôlables. Comme les Romains, il aime les jeux et fait construire des cirques à Soissons et à Paris.

### Frédégonde, une vraie furie !

Après avoir vécu dix ans avec Audovère, qui lui donna six enfants, Chilpéric la répudie pour vivre avec une servante, la belle et terrible Frédégonde. Mais, impressionné par les noces fastueuses de son frère Sigebert avec la gracieuse Brunehaut, fille du roi des Wisigoths, Chilpéric décide lui-aussi de se marier somptueusement avec la sœur de Brunehaut, Galswinthe. Pour pouvoir l'épouser, il écarte Frédégonde, mais celle-ci ne tarde pas à retrouver sa place auprès du roi. Peu après, Galswinthe est retrouvée étranglée dans son lit, et Frédégonde épouse Chilpéric ! Toute sa vie, Frédégonde intrigue à la cour et ne recule devant aucun assassinat pour assurer son pouvoir.

### Un règne marqué par des querelles fratricides

La mort de Galswinthe ne peut rester impunie : cela dresse Chilpéric et Sigebert l'un contre l'autre, ainsi que leurs femmes. Après une courte trêve, une guerre sanglante débute entre les deux frères : cette guerre civile oppose les Francs de l'Ouest aux Francs de l'Est, et fragilise le royaume. Chilpéric est finalement vaincu, mais au moment où Sigebert est acclamé roi, dans la région d'Arras, il se fait poignarder par des fidèles de Frédégonde : celle-ci avait d'ailleurs pris soin d'enduire de poison les lames des poignards ! Désormais, la haine de Brunehaut pour sa rivale n'a plus de limite et elle dévoile son caractère fort et déterminé. Les deux femmes, aussi ambitieuses l'une que l'autre, se détestent.

En 584, c'est au tour de Chilpéric d'être assassiné lors d'une partie de chasse, alors qu'il venait rendre visite à sa fille, Rigonthe, avant qu'elle ne parte épouser le roi des Wisigoths.

# Clotaire II
## [584-629]

584 à 629

## Le sais-tu ?

• Clotaire II a quatre mois lorsqu'il devient roi et règne pendant 45 ans. Depuis la mort de Clovis, c'est la première fois que le royaume mérovingien est unifié aussi longtemps. Même s'il est à l'origine de plusieurs assassinats, Clotaire II gouverna avec intelligence.

• Progressivement, le royaume franc se divise en trois : l'Austrasie au Nord-Est, la Neustrie au Nord-Ouest et la Bourgogne.

# Un homme intelligent aux mœurs barbares !

## Des guerres... pour unifier et pacifier le royaume !

À la mort de son père Chilpéric, en 584, Clotaire II devient roi de Neustrie (au Nord-Ouest). Il n'a que quatre mois et c'est sa mère Frédégonde qui assure le pouvoir. Pendant près de trente ans, il livre bataille contre sa tante Brunehaut qui gouverne l'Austrasie (au Nord-Est) au nom de son fils, puis de ses petits-fils. Après la disparition de ces derniers, et après avoir fait atrocement exécuter Brunehaut (qui avait près de 70 ans), Clotaire II se retrouve le seul roi des Francs en 613 et doit administrer les trois royaumes (l'Austrasie, la Neustrie et la Bourgogne).

## Le monde mérovingien s'organise

Grâce à l'unification du royaume, Clotaire II ramène la paix après cinquante ans de troubles. Maître de toute la Gaule, son pouvoir est pourtant limité par les grands. En effet, depuis quelques temps déjà, les Mérovingiens installent dans chaque cité un représentant puissant, le comte, qui est un administrateur, un collecteur d'impôts, un juge et un chef militaire. À côté du comte, l'évêque tient lui aussi une grande place. C'est également à cette époque que de nombreux monastères se construisent, notamment sous l'impulsion d'un moine irlandais : saint Colomban.

## « L'édit de Clotaire » de 614 affaiblit l'autorité royale

En 614, Clotaire II réunit à Paris une grande assemblée pour définir de nouvelles règles. À cette occasion, les sujets du roi peuvent faire des remontrances et exprimer leurs souhaits. Clotaire se voit contraint de céder aux grands une partie de son pouvoir : il laisse une grande liberté aux évêques et aux maires du palais (nom donné à ceux qui sont en charge de l'administration). D'ailleurs, c'est à leur demande que le fils de Clotaire, Dagobert Ier, est associé au pouvoir et monte sur le trône d'Austrasie.

## La famille de Clotaire II

Sa première femme, Haldetrude, meurt très vite après son mariage ; la deuxième, Bertrude, est la mère de Dagobert, et la troisième, Sichilde, est la mère de Charibert. Contrairement à l'usage, Charibert ne règne pas sur un royaume franc ; son demi-frère Dagobert l'évince du pouvoir, mais lui offre des terres en Aquitaine.

# Dagobert Ier

[vers 604-639]

♛ 629 à 639

## Le sais-tu ?

• Dagobert meurt à 35 ans, après seize ans de règne. Il laisse deux jeunes garçons : Sigebert III (en Austrasie) et Clovis II (en Neustrie et en Bourgogne).

• Aucune guerre n'oppose Austrasiens, Neustriens et Bourguignons durant son règne : du coup, la vie économique et commerciale se développe.

• Dagobert Ier est le premier roi a être inhumé à Saint-Denis.

# « Le bon roi Dagobert » était-il tête en l'air ?

## Dagobert consolide le royaume

En 623, Dagobert est placé sur le trône d'Austrasie par son père, Clotaire II. Il est envoyé à Metz et formé par le maire du palais, Pépin de Landen (ancêtre des Carolingiens), et par l'évêque Arnoul. À la mort de son père, Dagobert reçoit la Neustrie et la Bourgogne, puis récupère l'Aquitaine en 632, à la mort de son demi-frère Charibert. À cette date, Dagobert est le seul maître d'un immense royaume.

Durant son règne, il consolide la domination des Francs sur des royaumes germaniques, soumet les Gascons ainsi que les Bretons, et intervient en Espagne. La puissance de Dagobert s'affirme : il mène une politique extérieure ambitieuse, tout en évitant les guerres inutiles, et tient une cour fastueuse.

Dagobert Iᵉʳ s'installe à Paris et dans la région parisienne : ses villas favorites se trouvent à Clichy ou à Épinay-sur-Seine. Pour maintenir l'unité du pays, il réunit autour de lui de jeunes aristocrates qu'il forme au gouvernement, puis qu'il renvoie dans les régions en les nommant évêque. Il s'entoure aussi d'habiles conseillers comme saint Éloi, saint Didier ou encore saint Ouen, l'évêque de Rouen.

## Pourquoi Dagobert est-il aussi populaire ?

Le succès de Dagobert est associé aux saints évêques qui l'ont accompagné, mais aussi à la construction de Saint-Denis (à partir de 630) qui devient dès lors la nécropole des rois de France. Il est célébré pour son sens de la justice, pour son attention aux pauvres, et pour son intelligence politique : il était loin d'avoir la tête en l'air ! Par exemple, pour éviter les pratiques frauduleuses, Dagobert et l'orfèvre Éloi décident de centraliser au palais la frappe de la monnaie. Dagobert est surtout le dernier grand roi mérovingien, un des plus brillants souverains de la dynastie.

Mais c'est la chanson populaire « Le bon roi Dagobert », écrite en 1787 pour se moquer du roi Louis XVI, qui donne à Dagobert le succès qu'il connaît encore aujourd'hui.

## Une vie sentimentale agitée

Le « bon roi Dagobert » a eu trois femmes : sa tante Gomatrude, que son père lui avait contraint d'épouser et qu'il répudia, Nantilde et Ragnetrude. Il eut aussi deux concubines connues (Vulfégonde et Bertilde), et de nombreuses maîtresses.

17

# Les rois

## Le sais-tu ?

• La famille de Charles Martel est celle des Pippinides, car elle descend de deux grands maires du palais d'Austrasie : Pépin Ier de Landen (sous Clotaire II et Dagobert), et Pépin II de Herstal. Par une politique habile, les Pippinides surent prendre de plus en plus de pouvoir et accumulèrent de grandes richesses.

• Charles Martel vient de « martellus » (marteau), c'est-à-dire celui qui frappe.

• Le dernier roi mérovingien, Childéric III, était l'arrière arrière-petit-fils de Dagobert Ier.

NEUSTRIE

AUSTRASIE

CHILDÉRIC III

# fainéants

## et les derniers Mérovingiens

### De Clovis II à Childéric III : « les rois fainéants »

À la mort de Dagobert, en 639, le royaume est partagé entre ses deux jeunes fils. Mais très vite ces rois et leurs successeurs deviennent impuissants. Ainsi, après Dagobert, la dynastie mérovingienne ne cesse de décliner et les rois qui lui succèdent sont appelés : « les rois fainéants ». Pourtant, à partir du VIII$^e$ siècle, les rois mérovingiens continuent à convoquer l'armée, à présider une assemblée annuelle pendant laquelle ils reçoivent les dons et les plaintes de leurs sujets, et signent les documents officiels. Ils ont toujours le privilège de porter les cheveux longs, de porter une barbe, et de recevoir les ambassadeurs, mais, en réalité, ce sont les maires du palais qui exercent le pouvoir.

Selon Éginhard, le biographe de Charlemagne, les rois fainéants se déplaçaient allongés dans une voiture qui était tirée par des bœufs. Mais cette image n'est pas réelle. En fait, beaucoup d'entre eux arrivaient sur le trône alors qu'ils étaient très jeunes : c'était souvent leurs mères ou des ministres qui exerçaient le pouvoir en leur nom. Les rois mérovingiens se déplacent souvent entre leurs nombreuses villas. Ils n'habitent pas encore dans des palais.

### Le rôle croissant des maires du palais

Le rôle du maire du palais consiste à surveiller toute la bonne marche de la maison du roi, à l'approvisionner et à diriger l'ensemble du personnel. Plus le roi est faible et inactif, plus les maires du palais prennent du pouvoir : c'est ce qui se passe à partir du VII$^e$ siècle. Charles Martel devient, au VIII$^e$ siècle, un maire du palais très puissant puisqu'il contrôle la Neustrie, l'Austrasie, l'Aquitaine et la Bourgogne. Grand chef de guerre, il lutte pour unifier le royaume mérovingien et acquiert une grande notoriété en arrêtant les Arabes à Poitiers, en 732.

### Childéric III : le dernier mérovingien

Après la mort de Charles Martel, les troubles politiques s'intensifient. Ses deux fils, Carloman et Pépin le Bref (tous deux maires du palais), aident Childéric III à conserver son trône. Mais celui-ci n'a aucun pouvoir, on le surnomme même « l'idiot ». On ne connaît pas grand chose de lui : il était le fils de Chilpéric II, roi d'Austrasie et de Neustrie. En 751, il est déposé par Pépin le Bref qui le fait tondre et l'envoie dans un monastère à Saint-Omer. Pépin crée alors une nouvelle dynastie : les Carolingiens.

## Quelques dates clés

**751** : Pépin le Bref, fils de Charles Martel, dépose le dernier roi Mérovingien, devient roi, se fait sacrer et crée une nouvelle dynastie : les Carolingiens.

**800** : Charlemagne est couronné empereur à Rome, par le pape.

**842** : Les petits-fils de Charlemagne signent les « Serments de Strasbourg ».

**843** : Le traité de Verdun partage l'empire de Charlemagne en 3 : Charles II le Chauve reçoit la « Francie occidentalis » (la future France).

**911** : Charles III le Simple donne la Normandie à Rollon (le chef des Normands) au traité de Saint-Clair-sur-Epte.

# Les Carolingiens

 **Pépin le Bref**
👑 752 à 768

 **Charlemagne**
👑 768 à 814

 **Louis I<sup>er</sup> le Pieux**
👑 814 à 840

 **Charles II** le Chauve
👑 843 à 877

 **Louis II** le Bègue
👑 877 à 879

 **Charles III** le Simple
👑 898 à 922

 **Louis IV** d'Outremer
👑 936 à 954

# Pépin le Bref

[ 715-768 ]

 **752 à 768**

## Le sais-tu ?

• Pépin le Bref devient roi des Francs à 37 ans et règne pendant 16 ans. Avant sa mort il partage le royaume entre ses deux fils, Charles et Carloman. Selon ses vœux, il est enterré à Saint-Denis.

• La dynastie des Carolingiens prend son nom de ses plus illustres représentants : Charles Martel et Charlemagne, car Charles se dit « Carolus » en latin.

• Les Carolingiens règnent sur le royaume franc de 751 à 987, soit près de deux siècles et demi.

# Le fondateur des Carolingiens n'était pas bien grand !

## Un petit roi qui s'impose

Pépin le Bref est le premier souverain carolingien. Son surnom, le Bref, signifie qu'il était de petite taille, mais il fut un homme d'une grande habileté. En 741, à la mort de son père Charles Martel, Pépin partage la fonction de maire du palais avec son frère Carloman. Quelques années plus tard, Carloman laisse à son frère la totalité du pouvoir en préférant devenir moine.

## Pourquoi une nouvelle dynastie

Pépin crée une nouvelle dynastie en utilisant le pouvoir qu'il détient face au faible Childéric III, le dernier Mérovingien. Le conseiller de Pépin, Fulrad, abbé de Saint-Denis, vient voir le pape Zacharie à Rome et lui demande s'il est mal que les maires du palais se chargent des affaires à la place du roi. Le pape lui répond : « Mieux vaut appeler roi celui qui exerce effectivement le pouvoir ».

Fort de cet appui de l'Église, les grands élisent Pépin roi des Francs à Soissons en 751. Selon la coutume franque, ils l'élèvent sur le pavois royal. Le dernier des « rois chevelus », Childéric III, est alors tondu et envoyé dans un monastère. Pépin est sacré une première fois peu après son élection, puis une deuxième fois à Saint-Denis en 754 par le pape Étienne II, successeur de Zacharie. Cela permet de donner une légitimité à la nouvelle dynastie.

## Pépin réforme le royaume

Devenu roi, Pépin cherche à étendre son royaume. Il entreprend de réformer l'Église avec l'aide de saint Boniface, et institue un impôt qui durera jusqu'à la Révolution française : la dîme. Pépin crée une monnaie royale et améliore l'administration qui prend, à cette période, l'habitude de dater les événements à partir de la naissance de Jésus Christ. Il supprime la fonction de maire du palais et s'appuie désormais sur un chancelier. On peut dire que Pépin a bien préparé le règne et l'action de son fils Charlemagne.

## La famille de Pépin

La femme de Pépin, Berthe ou Bertrade, est connue sous le nom de Berthe « au grand pied », car elle avait un pied bot, c'est-à-dire mal formé : elle lui donne 6 enfants.

Berthe et ses deux fils, Charles et Carloman, sont eux aussi sacrés par Etienne II, en 754.

# Charlemagne

## [742-814]

👑 **768 à 814**

## Le sais-tu ?

• Charlemagne n'a jamais été malade de sa vie. Il meurt à plus de 65 ans, ce qui très vieux pour l'époque.

• L'Empire est formé de 4 grands ensembles : la Francie, la Germanie, l'Aquitaine et l'Italie. Les langues sont variées et les prononciations changent selon les régions. La communication entre les différents peuples de l'Empire se fait essentiellement par la langue latine qui est la langue de l'administration.

• Le peuple carolingien se divise entre les hommes libres, qui doivent faire leur service militaire et prêter serment au roi, et les non-libres qui n'ont aucun droit.

# A-t-il vraiment inventé l'école ?

### Un grand homme

Charlemagne veut dire Charles le Grand (*Carolus magnus*, en latin). C'est un grand homme dans tous les sens du terme car il mesure 1 mètre 90 ! Physiquement, il a un long nez, un gros ventre (car il aime bien manger) et une grosse moustache, mais pas de « barbe fleurie » comme on l'a souvent dit !

### Charlemagne unifie l'Empire d'Occident

Charlemagne consacre une partie de son règne à des guerres de conquête. Il parvient à contrôler la Germanie et lutte contre les Arabes présents en Espagne. C'est à cette occasion que se déroule l'histoire de la célèbre *Chanson de Roland* qui relate la défaite de Charlemagne et la mort de son ami Roland à Roncevaux.

Charlemagne est non seulement roi des Francs, mais, grâce à l'appui du pape, il est couronné empereur le 25 décembre 800 à Rome. Il règne alors sur un immense empire qui va des Pyrénées à l'actuel Danemark et de la Normandie à l'actuelle Autriche.

### Charlemagne : un bâtisseur et un réformateur

Charlemagne fait d'Aix-la-Chapelle, une ville d'Allemagne, la capitale de l'Empire et sa résidence principale, même s'il voyage beaucoup. Il y fait construire une très belle chapelle de forme octogonale (la chapelle Palatine). Il réorganise l'administration et envoie des inspecteurs royaux, appelés *missi dominici* (« envoyés du souverain »), parcourir deux par deux l'Empire pour faire appliquer les lois (les capitulaires). D'esprit curieux, Charlemagne protège les arts et les lettres. Il entreprend une réforme de l'écriture (on parle de l'écriture caroline). De nombreux ateliers de copistes, les *scriptoria*, se développent un peu partout. L'école est une de ses préoccupations fondamentales même s'il ne l'a pas « inventée » ! Il fait appel à des érudits comme l'Anglais Alcuin qui est un véritable « ministre de l'Éducation nationale » et qui impose aux élèves d'apprendre le latin et le grec, d'étudier la grammaire, l'arithmétique, la musique et l'astronomie. Charlemagne vient lui-même interroger les élèves pour vérifier qu'ils travaillent bien.

### Charlemagne : un homme très attaché à sa famille

Charlemagne aimait beaucoup les femmes et il s'est d'ailleurs marié quatre fois : avec Désirée, Hildegarde, Fastrade et Liutgarde. Il est très attaché à ses 16 enfants : il les amène partout avec lui et, pour ne pas quitter ses filles, il refuse qu'elles se marient !

# Louis I<sup>er</sup> le Pieux
[778-840]

814 à 840

## Le sais-tu ?

• Louis I<sup>er</sup> a régné 36 ans. Pendant cette période, le pouvoir royal s'est affaibli et la fin du règne est ponctuée par des luttes qui l'opposent à ses fils.

• Le nom de Normands (qui veut dire « hommes du Nord ») est donné aux peuples qui viennent de Scandinavie : les Danois, les Norvégiens et les Suédois. On les appelle aussi les Vikings.

• Les lois, appelées capitulaires, étaient très sévères : par exemple, il suffisait d'avoir volé trois fois pour être condamné à mort !

# Un empereur sous l'influence de sa femme Judith de Bavière

### Louis I<sup>er</sup> est-il vraiment pieux ?

Louis I<sup>er</sup> est surnommé le Pieux car il est connu pour être très religieux, certains affirment même qu'il aurait préféré être moine ! Mais Louis est un homme qui manque de fermeté, c'est pourquoi on l'appelle aussi « le Débonnaire », ce qui veut dire « le paresseux » ! En effet, il préfère la chasse à ses devoirs politiques. Louis n'est pas aussi grand que son père Charlemagne, il a de grands yeux clairs, un long nez, de larges épaules et des bras si forts que personne ne peut le battre au tir à l'arc ou au lancer du javelot. Il connaît très bien le latin et le grec. Il se nourrit et boit avec modération et s'habille modestement. Chaque jour il donne de l'argent aux pauvres et leur distribue des vêtements.

### Il renforce le pouvoir de l'État

Louis I<sup>er</sup> reprend seul la couronne impériale de son père en 814. Il procède à des réformes en matière judiciaire, notamment en proposant le recours au duel pour régler des contentieux. Il améliore les *missi dominici* et renforce le rôle de l'État. L'administration et la législation se montrent efficaces.
Pour garantir l'unité de l'Empire, il établit l'*Ordinatio Imperii* de 817 qui décide que seul le fils aîné doit succéder à son père (à la différence de la coutume franque) : bien sûr, les fils cadets s'y opposent !

### Louis I<sup>er</sup> manque de fermeté face à ses fils et à sa femme

Après la mort de sa première femme, Ermengarde, Louis I<sup>er</sup> épouse la belle Judith de Bavière. Ambitieuse, elle prend vite un grand ascendant sur lui. Judith impose son fils Charles (le futur Charles II le Chauve) aux dépens des autres enfants du roi : s'ouvre alors une période de conflits et de crises entre les fils et leur père. Cette situation affaiblit l'Empire et la monarchie carolingienne. Les évêques et la noblesse en profitent pour renforcer leurs pouvoirs : c'est le début de la féodalité.

### Attention : les Normands débarquent !

Depuis la mort de Charlemagne, les Normands entreprennent des incursions à partir de la Manche et de l'Atlantique. Ils remontent les rivières et les fleuves dans leurs bateaux (les drakkars) relevés à la proue (l'avant) et à la poupe (l'arrière). Les raids des Normands ne sont que pillages et destructions.

# Charles II le Chauve

## [823-877]

♔ 843 à 877

## Le sais-tu ?

• Charles II le Chauve devient roi à 20 ans et règne pendant 34 ans.

• C'est sous Charles II le Chauve que naît un premier sentiment d'unité dans le royaume.

• Les drakkars des Normands, appelés aussi Vikings, sont longs de 25 mètres et larges de 3 à 5 mètres environ. Ce sont de véritables vaisseaux de guerre pouvant contenir jusqu'à 70 hommes.

# Le premier « roi de France »

## Un roi sportif et un intellectuel

Charles II est un excellent cavalier, un grand chasseur, mais c'est surtout un homme cultivé qui a reçu une très bonne éducation : il est sans doute le plus instruit de tous les Carolingiens.

## Une lutte fratricide

Dès le début de son règne, Charles II se querelle avec son frère aîné, Lothaire, qui veut régner sans partage. Pour le battre, Charles II s'allie avec son autre frère, Louis. Ils mettent par écrit leur promesse d'alliance en 842 : ce sont les Serments de Strasbourg. Ce texte est rédigé en français et en allemand : c'est la première fois qu'un texte officiel n'est pas écrit en latin. Après avoir vaincu Lothaire, les trois frères signent, en 843, le traité de Verdun. Ce traité divise l'Empire en trois États et Charles II reçoit la Francie occidentale, c'est-à-dire la France : il est ainsi le premier « roi de France ».

## Les raids des Normands sèment la terreur

Le roi doit faire face à une autre difficulté : les invasions des Normands. Leurs raids se multiplient et désorganisent la vie du royaume : ils remontent les fleuves en brûlant tout sur leur passage. Pour stopper les drakkars, Charles II veut édifier des ponts fortifiés. Peu d'hommes sont prêts à s'opposer aux terribles Normands, mais Robert le Fort fait preuve de bravoure en défendant la région de la Loire face à l'envahisseur : pour le remercier de ses services, Charles II lui offre l'Anjou.

## Affaiblissement du pouvoir royal, mais rayonnement culturel

Sous Charles II, le pouvoir du roi s'affaiblit au profit de celui des grands. À cette époque, les bibliothèques se développent et les *scriptoria*, où l'on recopie les manuscrits, sont très actifs. L'intérêt pour l'école se poursuit, et des livres sont écrits sur l'enseignement. La cour de Charles II est le centre intellectuel de l'Europe.

## Ermentrude : une reine effacée... mais au début seulement

Ermentrude, la première femme de Charles II, lui donne 10 enfants. Discrète au début, elle acquiert un rôle politique important à la fin de sa vie. En devenant plus influente, elle s'oppose à sa belle-mère, Judith de Bavière. Des tensions naissent entre les deux époux qui se séparent après 25 ans de mariage. Ermentrude se retire alors dans une abbaye près de Valenciennes.

# Louis II le Bègue

[846-879]

 877 à 879

## Le sais-tu ?

• Louis II le Bègue ne règne que 2 ans. Ses fils ne restent guère plus longtemps sur le trône : Louis III règne 3 ans (879-882) et Carloman, 5 ans (879-884).

• Durant tout le IXe siècle, le littoral méditerranéen est ravagé par les attaques des musulmans, que l'on appelle les Sarrasins : cela paralyse le commerce.

# Le début de la fin pour les Carolingiens !

## Une période d'affaiblissement du pouvoir monarchique

Fils de Charles II le Chauve, Louis II est le premier Carolingien qui voit son autorité contesté à ce point. Les grandes familles du royaume et les évêques prennent de plus en plus de pouvoir : Louis II a du mal à se faire obéir. De plus, le roi est diminué par son bégaiement. Malade, il meurt au bout de 2 ans de règne.

À la mort de Louis II, le royaume est partagé entre ses deux fils : Louis III reçoit la Neustrie et la Francie occidentale (la France), et Carloman, l'Aquitaine et la Bourgogne. Sous Louis III et Carloman le déclin du pouvoir royal se poursuit : les régions deviennent plus indépendantes les unes des autres et les grands renforcent leur autorité.

## Les fils de Louis II face aux invasions des Normands

Dans la seconde partie du IXe siècle, les invasions se multiplient. Les Normands pénètrent de plus en plus à l'intérieur des terres. Les deux jeunes rois se montrent actifs et vaillants au combat. Ils tentent de les repousser ou de négocier avec eux pour acheter leur départ. Lors d'une de ces négociations Louis III tombe malade et meurt en 882. Deux ans plus tard, Carloman meurt à son tour d'un accident de chasse. Le dernier fils de Louis II, Charles le Simple, n'a que 5 ans. Les grands du royaume de Francie occidentale préfèrent offrir la couronne à son cousin, l'empereur Charles le Gros. Mais celui-ci se montre incapable de repousser les Normands.

## La dynastie carolingienne commence à vaciller !

Face aux dévastations des Normands, les grandes familles donnent leur confiance à Eudes, le comte de Paris, qui s'est illustré en défendant Paris contre les Normands en 885-887. Eudes, ancêtre des Capétiens, est alors choisi pour remplacer Charles le Gros. Ainsi, le principe électif tend à l'emporter sur le principe dynastique : ce sont les grands qui élisent le roi, celui-ci n'est pas nécessairement fils de roi !

## Pendant ce temps... les villes se développent

Les villes sont entourées d'enceintes. Les habitants, marchands, artisans et propriétaires s'organisent et développent les échanges économiques. La ville carolingienne est dominée par l'autorité locale de l'évêque et les quartiers naissent autour des églises, qui ne cessent de se construire.

# Charles III le Sim

[879-929]

♔ 898 à 922

## Le sais-tu ?

• Le règne de Charles III est marqué par le pouvoir que prennent les grands du royaume aux dépens du roi.

• Les descendants d'Eudes et de son frère Robert, duc des Francs, prennent le nom de « Robertiens » : ce sont les ancêtres des Capétiens.

• Sous les Carolingiens, la notion de vassalité se précise : le vassal est un homme libre qui se place sous la dépendance d'un autre en lui prêtant hommage. Le vassal doit aider et conseiller son seigneur, et celui-ci doit subvenir aux besoins de son vassal en lui donnant un fief.

# Un règne chaotique !

## Charles III le Simple doit signer un accord pour devenir roi

À la mort d'Eudes, en 898, le Carolingien Charles le Simple (dernier fils de Louis II le Bègue) est reconnu comme le roi légitime après avoir signé un accord avec les grands : le roi règne toujours, mais ce sont les princes, les ducs et les comtes qui gouvernent les différents territoires du royaume.

## Les Normands s'installent... en Normandie !

Le principal événement du règne de Charles III est la signature du traité de Saint-Clair-sur-Epte (911) avec Rollon, le chef des Normands. Le roi concède à ce peuple un territoire qui prend alors le nom de Normandie. Rollon accepte de recevoir le baptême et prête hommage à Charles le Simple. Progressivement, les Normands adoptent les mœurs et la langue des Francs, et leurs ducs font rapidement de la Normandie une province prospère.

## Charles III est malmené par les grands

Sur le plan intérieur, Charles III tente de remettre de l'ordre dans le royaume : mais il ne tient pas suffisamment compte des pouvoirs qu'il a accordé aux grands ! Il se brouille avec un de leur principal représentant : Robert, duc des Francs. Charles III est alors destitué de son trône en 922 et Robert devient le nouveau roi sous le nom de Robert Ier. Charles III ne s'avoue pas vaincu : il réunit une armée autour de lui, tue Robert, mais tombe dans un guet-apens peu après. Le propre fils de Robert : Hugues le Grand, le père d'Hugues Capet, devient l'homme fort du pays.

## La société sous les derniers Carolingiens

Tous les hommes doivent faire le service militaire (appelé l'*ost*). La cavalerie est formée de nobles et d'hommes riches, car les armes, l'équipement et le cheval coûtent cher. De plus, le cavalier doit prévoir la monture et l'armement de ses écuyers. Le jeune aristocrate se destine donc à la guerre. Dès qu'il atteint l'âge de 14 ou 15 ans, son père lui remet son épée : il entre alors dans la société des adultes. Cette épée est souvent richement décorée, le chevalier lui donne un nom et la conserve jusque dans la tombe.

# Louis IV d'Outremer

[921-954]

 **936 à 954**

## Le sais-tu ?

• Louis IV d'Outremer a épousé Gerberge de Saxe qui lui a donné Lothaire.

• Lothaire a épousé Emma : elle est la mère de Louis V le Fainéant.

•Louis V le Fainéant meurt à 20 ans, sans enfants : c'est la fin de la dynastie carolingienne. À 15 ans, il épouse Adélaïde d'Anjou qui est beaucoup plus âgée que lui et dont il se sépare rapidement.

• Le Xᵉ siècle voit l'affaiblissement de la monarchie carolingienne qui ne parvient pas à lutter contre le morcellement du royaume : certains comtes ont plus de pouvoir que le roi !

# Vers la fin d'une dynastie

## Un roi un peu Anglais !

L'avènement de Louis IV marque le retour d'un roi carolingien sur le trône de France. Ce retour est voulu par Hugues le Grand, qui est un des personnages les plus puissants du royaume, mais qui ne veut pas régner lui-même. Louis IV est le fils de Charles III le Simple. Il a été élevé en Angleterre par sa mère (une princesse anglo-saxonne). Puisqu'il vient de l'autre côté de la Manche, on le surnomme Louis d'Outremer. Il est couronné dans la ville de Laon en 936.

## Un jeune roi qui s'émancipe de la tutelle des grands

Le nouveau roi n'a que 15 ans lorsqu'il arrive sur le trône. Il n'est, au départ, qu'un instrument dans les mains d'Hugues le Grand. Cependant, Louis IV est un roi actif, énergique et intelligent, et il ne tarde pas à s'opposer à son tuteur. Des luttes armées s'engagent et l'une d'elle débouche sur l'emprisonnement de Louis IV pendant un an. Libéré, il cherche à restaurer le pouvoir royal en condamnant Hugues le Grand et en affirmant un principe essentiel pour la royauté : « Que nul n'ose à l'avenir porter atteinte au pouvoir royal. » La paix est signée entre les deux hommes en 953. Louis ne peut donner suite à sa politique de paix puisqu'il meurt accidentellement à 33 ans, en 954.

## La fin de la dynastie carolingienne

Le fils de Louis IV, Lothaire, a 13 ans à la mort de son père. Son règne est marqué par l'affermissement du régime féodal : le pouvoir est partagé entre le roi et ses seigneurs possesseurs de fiefs. Les grandes familles du royaume cherchent à s'imposer, comme les Robertiens avec Hugues Capet. Lothaire suit une mauvaise politique d'alliance et il se retrouve à la fin de son règne profondément affaibli, il meurt en 986.

Louis V le Fainéant, fils de Lothaire, est le dernier des Carolingiens. Il doit faire face à une alliance qui réunit le puissant évêque de Reims, Adalbéron, et le duc des Francs, Hugues Capet. Louis V n'a pas le temps d'agir puisqu'il meurt d'une chute de cheval lors d'une chasse dans la forêt de Senlis, en 987. Il laisse le royaume aux mains d'Hugues Capet qui est proclamé roi et sacré en 987. Le déclin des Carolingiens a été rapide.

# Quelques dates clés

**987 :** Élection et sacre d'Hugues Capet. Il fonde la dynastie capétienne qui règnera 900 ans sur la France.

**1066 :** Guillaume le Conquérant, duc de Normandie conquiert l'Angleterre et y importe le système féodal français.

**1214 :** Philippe II Auguste remporte la bataille de Bouvines.

**1270 :** Saint Louis meurt devant Tunis lors de la 8$^e$ et dernière croisade.

**1302 :** Première réunion des Etats généraux à Paris par Philippe IV le Bel.

# Les Capétiens directs

**Hugues Capet**
👑 987 à 996

**Philippe II Auguste**
👑 1180 à 1223

**Robert II** le Pieux
👑 996 à 1031

**Louis VIII** le Lion
👑 1223 à 1226

**Henri I^er^ et philippe I^er^**
👑 1031 à 1060  👑 1060 à 1108

**Louis IX**
👑 1226 à 1270

**Louis VI** le Gros
👑 1108 à 1137

**Philippe III** le Hardi
👑 1270 à 1285

**Louis VII** le Jeune
👑 1137 à 1180

**Philippe IV** le Bel
👑 1285 à 1314

**Aliénor d'Aquitaine**

**Louis X** et ses frères

**Panique chez les Capétiens**

# Hugues Capet

[939-996]

 **987 à 996**

## Le sais-tu ?

• Hugues Capet épouse Adélaïde de Poitiers en 970.

• La dynastie des Capétiens règne sur la France pendant 9 siècles.

• La féodalité finit de se mettre en place sous Hugues Capet. C'est à cette époque que s'élaborent les 3 ordres de la société française qui subsisteront jusqu'à la Révolution française : ainsi distingue-t-on déjà « ceux qui prient », « ceux qui combattent » et « ceux qui travaillent ».

ceux qui prient     ceux qui combattent     ceux qui travaillent

# Le roi élu !

## D'où viens-tu Hugues Capet ?

Hugues Capet appartient à la famille des Robertiens dont la puissance est très importante sous les derniers Carolingiens, au point que deux de ses membres ont déjà été élus rois (Eudes et Robert). Hugues Capet est un homme secret, voire taciturne, mais qui fait preuve d'habileté politique et de ruse : dans les négociations, il parvient toujours à défendre ses intérêts.

Le territoire d'Hugues Capet n'est pas bien grand puisqu'il s'étend seulement sur l'Île de France, la Bourgogne et l'Orléanais, mais ce sont les régions les plus prospères du pays ! Il a le titre de comte de Paris et duc des Francs. Les fiefs dont le roi est le seigneur (c'est-à-dire le « domaine royal ») lui payent des impôts. Le roi possède aussi des abbayes et de nombreuses terres et vignobles. Avec ces revenus, le roi peut assumer ses dépenses personnelles, mais aussi faire la guerre.

## Une nouvelle dynastie

Après la mort du dernier Carolingien, Louis V le Fainéant, Hugues Capet est élu roi par l'assemblée des grands du royaume réunie à Senlis : il est sacré à Noyon le 3 juillet 987. La première mesure d'Hugues est de faire couronner son fils, Robert le Pieux : il impose ainsi le principe dynastique.

Son règne débute difficilement car certains ducs, comtes et évêques veulent renforcer leur autorité. Il s'oppose aussi au pape Jean XV. Mais Hugues est assez habile pour placer un peu partout des fidèles. D'ailleurs, son conseiller, le mathématicien Gerbert, deviendra pape sous le nom de Sylvestre II. À sa mort, en 996, Hugues Capet laisse à son fils un pays puissant et bien organisé.

## Le X$^e$ siècle : un siècle de guerre et d'invasion

Au X$^e$ siècle, les populations qui vivent en France connaissent des temps difficiles : les loups rôdent jusque dans les villages et les guerres incessantes ravagent les terres. De plus, les invasions n'ont pas cessé : après les Normands, c'est au tour des Hongrois de venir ravager l'Alsace, la Lorraine, la Champagne et la Bourgogne ; quant aux Sarrasins, ils s'installent dans le golfe de Saint-Tropez et organisent des raids sur toute la Provence en semant partout la terreur.

# Robert II le Pieux

[970-1031]

 996 à 1031

L'AN MIL

## Le sais-tu ?

• Contre les ravages des guerres privées entre seigneurs, l'Église impose la Paix de Dieu destinée à protéger les pauvres et tous ceux qui ne combattent pas. Ce principe est complété par la Trêve de Dieu qui interdit le combat du jeudi au dimanche et pendant les fêtes religieuses.

• On a cru que les hommes de l'époque redoutaient des calamités au moment du passage à l'an mil : en fait, c'est une légende, puisque peu d'hommes à l'époque comptaient le temps en siècles !

• C'est à cette période que débute le style roman : de grandes abbayes se construisent : Cluny, Conques, Vézelay.

# Qu'il est difficile d'épouser la femme qu'on aime !

### Robert II est-il si pieux que ça ?

Robert II le Pieux est le fils d'Hugues Capet. C'est un homme très actif et cultivé : il connaît le latin et s'intéresse à la théologie et à la musique. Il compose des hymnes qu'il chante à l'occasion. Sa grande piété et son attention aux pauvres lui valent son surnom. D'ailleurs, il est connu pour avoir fait des guérisons miraculeuses : à partir de lui, on croit que le roi détient un pouvoir thaumaturge (c'est à dire qu'il peut faire des miracles puisqu'il est d'essence divine grâce à son sacre).
Il est de grande taille, ses cheveux sont lisses, la barbe assez fourni et les épaules larges. Ce n'est pas un roi qui reste confiné dans son palais, c'est un chef de guerre vaillant et courageux qui prend souvent la tête de son armée. Son biographe, le moine Helgaud, nous dit que lorsque Robert monte à cheval, ses doigts de pied rejoignent presque le talon : pour beaucoup, cela tient du prodige !

### Une vie conjugale compliquée

Sa première femme, Rozala, lui est imposé par son père : elle avait 50 ans et lui 18 ! Il la répudie pour épouser la femme qu'il aime, Berthe de Bourgogne. Mais ce mariage est refusé par le pape Grégoire V car les nouveaux mariés ont des liens de parenté. Robert est contraint de renvoyer sa chère Berthe. Belle et intelligente, Berthe a une bonne influence sur Robert.
Quelques années plus tard, le roi se remarie avec Constance d'Arles dont il a quatre fils et une fille. Robert ne s'entend guère avec Constance qui a très mauvais caractère. Elle est un peu impulsive et n'hésite pas à pousser ses fils à se révolter contre leur père. Robert, lassé des caprices de Constance, demande même au pape l'autorisation de se remarier avec Berthe !

### Il consolide la dynastie

C'est sous son règne que la règle de primogéniture s'impose (c'est-à-dire que le royaume revient définitivement au fils aîné). Il fait sacrer son fils Henri, mais les relations entre le père et le fils ne sont pas très bonnes. Robert II agrandit le royaume en s'emparant de la Bourgogne et parvient à faire régner l'ordre sur les routes du domaine royal.
Les princes et les ducs du royaume conservent toujours leur indépendance, même s'ils « prêtent hommage » à leur suzerain, le roi. Mais le vrai rival de Robert II est l'empereur germanique.

# Henri I<sup>er</sup> et Philippe I<sup>er</sup>

**[1008-1060]**   **[1052-1108]**

 1031 à 1060

 1060 à 1108

## Le sais-tu ?

• Sous Henri I<sup>er</sup> apparaissent les prévôts : ce sont des gens de condition modeste qui sont chargés d'administrer le domaine royal, d'exercer la justice et de veiller sur le respect des ordres du roi.

• C'est sous le règne de Philippe I<sup>er</sup> que débute la réforme grégorienne qui veut purifier les dérives de l'Église : le mariage et le concubinage des prêtres sont désormais interdis, ainsi que la vente abusive de reliques (la simonie).

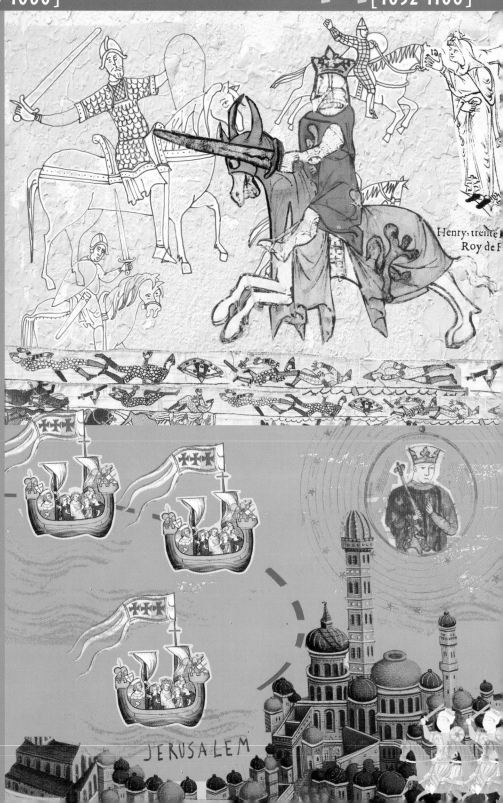

# Sous leurs règnes,
# le monde bouge !

## Henri I<sup>er</sup> : un règne un peu confus

Le règne d'Henri I<sup>er</sup> débute par une grande famine dues à des inondations : certains croient même que c'est la fin du monde ! Les populations meurent de faim et les plus démunis n'hésitent pas à manger de la chair humaine ou à courir les forêts pour se nourrir de racines et d'herbes des rivières...

Brave et courageux, Henri I<sup>er</sup> n'a pas de grand sens politique et son règne n'est qu'une succession de guerres qui affaiblissent la puissance royale.

En 1051, veuf de sa première femme, Henri I<sup>er</sup> envoie un émissaire en Russie pour demander la main d'Anne de Kiev dont on lui a vanté la beauté. Après la mort du roi, Anne fait scandale car elle épouse clandestinement un homme... qui est déjà marié ! Elle finit sa vie dans un couvent. Lorsqu'il meurt, en 1060, Philippe I<sup>er</sup> lègue à son fils encore mineur une situation fragile.

## Philippe I<sup>er</sup> : un roi paresseux mais habile

À l'avènement de Philippe I<sup>er</sup>, ce sont sa mère et son oncle qui assurent la régence. Jeune roi, c'est un fin politique et un homme énergique. Il agrandit le royaume (qui se limitait à la région parisienne) en conquérant des terres sur ses vassaux et ses adversaires : il acquiert le Gâtinais et achète la ville de Bourges. Dans la deuxième partie de son règne, sa gourmandise et sa cupidité l'emportent. On dit qu'il est paresseux et qu'il préfère manger et dormir que de combattre. D'ailleurs, il est tellement gros qu'il ne peut plus monter à cheval ! À la fin de sa vie il se préoccupe plus de ses amours que des affaires du royaume. En effet, en 1094, Philippe I<sup>er</sup> répudie sa trop grasse épouse, la reine Berthe, pour épouser la belle Bertrade de Montfort qui, paraît-il, lui avait fait une déclaration d'amour passionnée.

## Un monde en mouvement

Pendant ce temps, le duc de Normandie, Guillaume le Conquérant, envahie l'Angleterre en 1066. Cette conquête est racontée par sa femme, la reine Mathilde, dans la tapisserie de Bayeux. À partir de 1076 : une longue guerre s'ouvre entre la France et le nouvel État anglo-normand.

C'est sous le règne de Philippe I<sup>er</sup> que débute la première croisade (1096-1099) destinée à délivrer les Lieux saints, alors occupés par les musulmans qui y persécutent des chrétiens. Cette croisade, conduite par Godefroi de Bouillon, aboutit à la prise de Jérusalem (1099) et dégénère en guerre de conquête. Le royaume latin de Jérusalem est créé : il durera jusqu'en 1187.

# Louis VI le Gros

## [1081-1137]

 **1108 à 1137**

## Le sais-tu ?

• L'époque de Louis VI le Gros coïncide avec les grandes foires. Les marchands venaient parfois de Scandinavie, d'Italie, d'Espagne et même d'Orient pour vendre des draps, des cuirs et des épices.

• À cette époque, si un serf se marie en dehors des terres de son maître, il doit donner de l'argent au seigneur de sa femme !

• C'est aussi la naissance de la poésie courtoise qui glorifie l'amour et les exploits des chevaliers.

• La passion entre Abélard, grand philosophe et théologien, et Héloïse, son élève, fait scandale : alors qu'ils s'étaient mariés secrètement, ils sont obligés de se séparer et finissent leur vie dans un couvent.

Boulanger. Patissier

Maréchal-Ferra

# Un roi bâtisseur qui aime bien boire et bien manger !

**Louis VI le Gros**

### Un bâtisseur et un organisateur

Louis VI est le premier de nos grands rois. Au début de son règne, il s'oppose à sa belle-mère, Bertrade de Montfort, qui intrigue pour l'empêcher de monter sur le trône (elle aurait même tenté de l'empoisonner). Devenu roi en 1108, il mène une guerre impitoyable envers les seigneurs malhonnêtes et insoumis d'Île de France et rattache leurs terres au domaine royal. Il s'oppose pendant 25 ans au fils de Guillaume le Conquérant, Henri I$^{er}$ Beauclerc, roi d'Angleterre et duc de Normandie.

Sous son règne, les villes et les villages peuvent se constituer en commune moyennant de l'argent : les cités bénéficient d'une certaine indépendance et peuvent s'administrer elles-mêmes. Cela permet au roi de renflouer sa trésorerie. Le roi améliore l'administration et la justice grâce à l'action de son ami et habile conseiller, Suger. Celui-ci, étant aussi abbé de Saint-Denis, réforme l'abbaye et fait reconstruire l'église.

### Un bon vivant à l'embonpoint un peu gênant !

Homme cupide, il est très près de son argent. Mais c'est un homme bon et loyal, simple dans ses relations avec les autres. Il fait preuve de bravoure et n'hésite pas à se mêler à ses soldats lors d'une bataille : c'est avant tout un chef de guerre. Il est populaire car il cherche à faire appliquer la loi partout dans le royaume, condamnant vivement tous ceux qui la transgressent.

À la fin de sa vie, il est obèse et son embonpoint le gêne pour se déplacer et pour monter à cheval : il ne peut plus guerroyer comme avant ! Un trou dans la table marque sa place... pour qu'il puisse y mettre sa bedaine !

### Adélaïde de Savoie : une reine laide, mais aimée de son mari

Après avoir annulé son premier mariage avec Lucienne de Rochefort, le roi épouse Adélaïde de Savoie qui lui donne 8 enfants. En dépit de sa laideur (son premier fiancé avait fui épouvanté), Adélaïde est aimée du roi. Après la mort de Louis VI, elle tente de jouer un rôle politique auprès du jeune Louis VII, mais elle est écartée par Suger. Elle se remarie, puis se retire dans l'abbaye de Montmartre qu'elle avait contribué à fonder.

# Louis VII le Jeune

## [1121-1180]

 **1137 à 1180**

## Le sais-tu ?

• Louis VII est un précurseur des droits de l'homme : en effet, il considère que la royauté doit permettre aux pauvres et aux démunis d'être « élevés à la liberté. »

• Sous Louis VII, les villes se développent et la construction des églises se multiplient. La construction de Notre-Dame de Paris débute en 1163.

• Louis VII accueille en France Thomas Becket (l'archevêque de Canterbury) qui s'est brouillé avec le roi d'Angleterre Henri II. Lorsque Becket revient en Angleterre, il se fait assassiner dans sa cathédrale !

PLAN DE JERUSALEM

# Un roi pieux à la recherche d'une descendance

## Un roi doux et cruel à la fois !

À la mort de son père, Louis VII a 16 ans. C'est un roi timide, mais qui peut être cruel, comme le jour où il coupe un bras au chambellan de la reine qui s'était montré agressif.

Pendant sa jeunesse, il est formé par l'abbé Suger et par le futur saint Bernard, abbé de Clairvaux. Louis VII est très pieux, il vit presque comme un moine et sa piété ne cesse de se développer au cours de sa vie. Sous l'influence de saint Bernard, il s'insurge contre la richesse des monastères et prône une certaine austérité.

## Une politique extérieure mouvementée

Louis VII débute son règne en s'opposant au pape et en menant une guerre contre le comte de Champagne : lors de la prise de la ville de Vitry, le roi fait brûler 1300 personnes dans une église ! Louis VII est aussi le premier roi de France à participer à une croisade. Durant cette deuxième croisade et l'absence du roi (1147-1149), c'est l'abbé Suger qui est régent du royaume. De retour en France, Louis VII s'oppose à l'empereur d'Allemagne, Frédéric Barberousse. Entre-temps, Geoffroy Plantagenêt, comte d'Anjou, s'empare de la Normandie. Son fils, Henri Plantagenêt, devient peu après roi d'Angleterre, sous le nom d'Henri II. La lutte commence entre Louis VII et le nouveau roi d'Angleterre dont les possessions vont de la Normandie à l'Aquitaine.

À la suite de nombreux revers militaires et d'erreurs diplomatiques, Louis VII laisse à son fils une France plus petite que celle qu'il avait reçue de son père. Cependant, la monarchie conserve son prestige, et la France est un royaume uni et prospère.

## Il faut un fils au roi !

Lors de la première croisade, Louis VII eut le tort d'amener avec lui sa femme, Aliénor d'Aquitaine. Le voyage est fatal pour le couple qui ne s'entend plus du tout ; ils rentrent en France sur deux bateaux différents et leur mariage est dissous peu après : le roi perd le duché d'Aquitaine. Louis VII se remarie avec Constance de Castille, qui meurt après lui avoir donné une fille, puis avec Adèle de Champagne qui lui donne enfin un fils : Philippe Auguste. Louis VII, atteint de paralysie à la fin de sa vie, associe son fils au trône et le fait sacrer à Reims.

# Aliénor d'Aquitaine

## Le sais-tu ?

• Aliénor introduit en France et en Angleterre la culture des troubadours (son grand-père était lui-même troubadour).

• Aliénor a vécu jusqu'à 82 ans. Elle a été deux fois reines, elle est la mère de deux rois (Richard Cœur de Lion et Jean sans Terre) et de deux reines (Eléonore de Castille et Jeanne de Sicile). Aliénor est enterrée à l'abbaye de Fontevrault où elle s'était retirée à la fin de sa vie.

# Comment devenir reine de France, puis d'Angleterre ?

## La plus riche héritière d'Europe

À la mort de son père, Guillaume X d'Aquitaine, Aliénor possède la Guyenne, la Gascogne, la Saintonge et le Poitou. C'est une jeune fille belle, cultivée, entourée de poètes et de musiciens, mais elle est ambitieuse. À 15 ans, elle épouse Louis VII. On la dit capricieuse et fantaisiste et son influence auprès du roi n'est pas toujours très bonne. Lors de la deuxième croisade, le voyage se passe mal entre les époux : ils divorcent en 1152.

Deux mois après, Aliénor épouse le bel Henri Plantagenêt qui devient, deux ans plus tard, roi d'Angleterre. Henri a 19 ans, alors qu'Aliénor approche de la trentaine ! Pour Louis VII, le remariage d'Aliénor a des conséquences politiques désastreuses puisque Aliénor apporte en dot le duché d'Aquitaine. Lorsqu'il monte sur le trône d'Angleterre, Henri II est le roi le plus puissant d'Europe.

## Une personnalité forte et énergique

Belle, intelligente et douée d'une forte personnalité, Aliénor n'est pas femme à accepter qu'on lui dicte sa conduite et elle se querelle facilement avec ses époux. Son second mariage n'est guère plus réussi que le premier. Lorsque Henri II lui préfère une autre femme, la belle Rosamonde, Aliénor décide de s'installer à Poitiers où elle s'entoure de poètes et d'artistes.

Peu après, Aliénor dresse ses fils contre leur père. Henri II, furieux, la fait enfermer dans un couvent : elle y reste 16 ans et n'en sort qu'à l'avènement de son fils, Richard Cœur de Lion. Elle lui apporte une grande aide. Lorsque celui-ci part en croisade et se fait prisonnier par l'empereur, Aliénor assure la régence et vient elle-même en Allemagne apporter l'énorme rançon que l'empereur réclame pour faire libérer Richard.

## Une grande voyageuse qui administre ses terres

Malgré les dangers de la route, Aliénor voyage constamment : elle traverse souvent la Manche pour aller visiter ses terres de Normandie ou d'Aquitaine. Elle administre ses terres et fait rendre la justice. À la fin de sa vie, elle continue à beaucoup voyager. À 78 ans, elle entreprend un voyage en Castille, pour aller chercher sa petite-fille, Blanche, qui doit épouser le futur roi de France Louis VIII.

# Philippe II Auguste

[1165-1223]

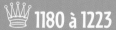 1180 à 1223

## Le sais-tu ?

• Philippe II reçoit d'abord le surnom de conquérant puis on l'appelle ensuite Auguste tant il a agrandi le domaine royal.

• Philippe II a une vie conjugale compliquée : il épouse d'abord Isabelle de Hainaut contre l'avis de sa mère. Après la mort d'Isabelle, il se marie avec Ingeburge de Danemark, mais il se dit ensorcelé par elle et annule son mariage pour épouser Agnès de Méran. Le pape refuse l'annulation. Au bout de 20 ans, Philippe est obligé de reprendre Ingeburge qu'il avait fait enfermer dans un couvent !

• Philippe II Auguste donne la garde du trésor royal aux Templiers.

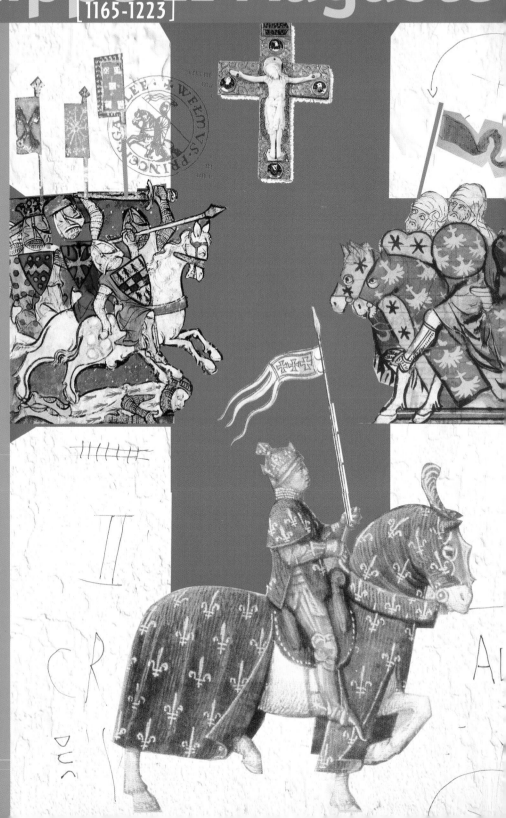

# La restauration de la puissance et de l'autorité du roi

## Un roi adroit mais angoissé

Philippe II est un bel homme, grand et souriant, qui aime les femmes, le vin et la bonne chère, mais il est avant tout un politicien habile. De naturel angoissé, il est sujet aux colères, pourtant il sait se montrer attentif aux pauvres, ce qui lui vaut une grande popularité.

Le roi participe à la troisième croisade (1189-1192) accompagné du roi d'Angleterre, Richard Cœur de Lion. En prétextant la maladie, Philippe II quitte l'expédition et rentre en France : en fait, il veut profiter de l'absence de Richard pour s'emparer de ses terres !

## La lutte contre l'Angleterre et contre les Albigeois

La grande ambition du règne est la reconquête de toutes les possessions anglaises en France. La guerre éclate en 1194. Après la mort de Richard Cœur de Lion, c'est son frère, Jean sans Terre, qui devient roi d'Angleterre. Philippe II lui reprend la Normandie, après le siège de Château-Gaillard en 1204, et lui confisque peu après ses fiefs français. Jean sans Terre suscite alors une coalition européenne contre le roi de France, mais Philippe II remporte la grande victoire de Bouvines en 1214.

Le règne de Philippe II est marqué aussi par la « croisade » contre les cathares, appelés aussi Albigeois, car ils se concentrent autour de la ville d'Albi. Apparue en France au XI$^e$ siècle, les cathares affirment que ce qui vient de l'esprit est bon, et tout ce qui vient du corps ou de la matière est mauvais. Cette religion se répand surtout dans le Languedoc. La lutte est conduite par Simon de Montfort qui se distingue par sa cruauté !

## Un règne brillant de 43 ans

À son avènement, Philippe II dispose d'un domaine royal qui se cantonne à l'Île de France, l'Orléanais et à une partie du Berry : à la fin de son règne, le domaine royal est quadruplé. Le commerce progresse et il place des fonctionnaires aux fonctions étendues, les baillis, sur l'ensemble du territoire. Philippe Auguste fixe son gouvernement à Paris. Il embellit et assainit la capitale : les rues sont pavées et la ville est entourée d'une muraille. L'université de Paris acquiert une renommée européenne.

 **1223 à 1226**

## Le sais-tu ?

• C'est après sa mort, que Louis VIII est surnommé le Lion pour son ardeur au combat.

• Blanche de Castille est régente à deux reprises : pendant la minorité de son fils Louis IX et pendant l'absence de celui-ci lors de la septième croisade.

• Elle finit sa vie comme religieuse dans l'abbaye de Maubuisson. Abbaye qu'elle avait fondée.

• Elle fut aimée de son mari, mais aussi d'un des grands poètes de l'époque : Thibault de Champagne qui lui écrivit plusieurs chansons d'amour.

# Blanche de Castille

## [1188-1252]

# Un règne bref et une reine très présente

### Louis VIII, roi d'Angleterre pendant un an

Fils de Philippe II Auguste, Louis VIII est le premier Capétien à ne pas être sacré du vivant de son père, mais il est très vite initié aux affaires. Pendant que son père remporte la victoire de Bouvines (1214), il bat le roi d'Angleterre, Jean sans Terre, dans le Poitou. Des barons anglais lui offrent alors la couronne d'Angleterre : il prend possession de son nouveau trône en 1216. Mais, après la défaite française de Lincoln, il renonce à la couronne anglaise et revient en France.

### Un règne bref

Louis VIII monte sur le trône à 36 ans. Son sacre et celui de sa femme, Blanche de Castille, est suivi d'une semaine de fêtes. Petit, maigre et de santé fragile, le roi n'en aime pas moins la guerre et le combat. Il désire agrandir le domaine royal et reprend aux Anglais les villes de Niort et de La Rochelle. Il envahit le Poitou et la Gascogne. Louis VIII met fin à la présence cathare dans le Midi. Après cela, le Languedoc est rattaché à la couronne de France. Atteint de dysenterie, il meurt après 3 ans de règne.

### Blanche de Castille : une femme de caractère

Fille du roi de Castille et petite-fille d'Aliénor d'Aquitaine, elle se marie à 12 ans au futur Louis VIII et ont 12 enfants ! Blanche de Castille est aussi pieuse qu'énergique. Douée d'une forte personnalité et d'un grand sens politique, elle soutient et aide intelligemment son mari. Elle réussit même à tenir tête à son beau-père, Philippe Auguste, que tout le monde craignait. À la mort de Louis VIII, Blanche de Castille assure efficacement la régence pour son fils, Louis IX (saint Louis), et conserve, jusqu'à sa mort, une grande influence sur lui.

### Une reine mère possessive

Mère possessive, elle accepte mal l'ascendant que sa belle-fille, Marguerite de Provence, exerce sur son fils, Louis IX. Elle fait tout ce qu'elle peut pour les éloigner. Pour échapper à la vigilance de Blanche, les deux époux ont parfois recours à des subterfuges pour se voir tranquillement : au château de Pontoise, un escalier caché relie leurs deux appartements !

# Louis IX

[ 1214-1270 ]

## 1226 à 1270

## Le sais-tu ?

• Marié à Marguerite de Provence qu'il aimait, Louis IX eut 11 enfants.

• Joinville, un célèbre chroniqueur (nom donné à celui qui relate les événements), raconte que le roi rendait la justice sous un chêne à Vincennes.

• Louis IX réforme la justice et modernise le système monétaire. Il durcit aussi les sanctions contre les jeux de hasard, contre les alcooliques et les blasphémateurs.

# Pourquoi Louis IX est-il devenu saint Louis ?

## Un jeune roi sous l'influence de sa mère

Fils de Louis VIII le Lion et de Blanche de Castille, Louis IX a 12 ans à la mort de son père : c'est un bel enfant blond qui fait parfois des colères. Au début de son règne, c'est sa mère qui assure énergiquement la régence. Confrontée à une révolte de plusieurs grands féodaux, Blanche de Castille parvient à soumettre les rebelles et réussit à mettre fin à une longue grève des étudiants parisiens.

## Un saint homme

Louis IX est homme bon et connu pour sa grande piété. Très grand, le visage souriant, il est attentif aux pauvres : il crée de nombreuses institutions d'assistance, ce qui lui vaut une grande popularité. On dit même qu'il fait des miracles. C'est aussi l'ami de saint Thomas d'Aquin qui enseigne à la Sorbonne et dont le rôle spirituel est important. On doit au roi la construction de la sainte Chapelle à Paris et la rénovation de plusieurs cathédrales (comme celle de Reims et sa façade avec le célèbre ange au sourire). Après avoir été très malade, saint Louis décide de partir en croisade. Il s'embarque à Aigues-Mortes en 1246 ; il est accompagné de sa femme, Marguerite de Provence, et d'une armée de 25 000 hommes. Prisonnier en Égypte, il doit payer une énorme rançon pour sa libération. Il ne revient d'Orient que huit ans plus tard. À 56 ans, il décide de repartir en croisade, mais il meurt de la peste devant Tunis en 1270.

Tout cela contribue à faire de Louis IX un saint (il est canonisé 27 ans après sa mort).

## La modernisation du royaume et la pacification de l'Europe

Sa participation à la croisade lui donne une rôle important en Europe où il contribue à faire régner la paix. Il parvient, notamment, à signer un traité de paix avec l'Angleterre en 1258 qui confirme la présence anglaise en Aquitaine.

Louis IX est un fin politique et son règne est marqué par un renforcement du pouvoir royal. Le roi envoie des enquêteurs dans tout le royaume pour dresser un état de la France et réprimer les abus des fonctionnaires. Louis IX impose aussi la *Quarantaine du roi* dans le but de limiter les guerres privées qui ravagent trop souvent les provinces.

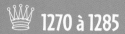 **1270 à 1285**

## Le sais-tu ?

• Philippe III régna 15 ans. Son règne est une époque de transition entre les deux grands rois que furent saint Louis et Philippe IV le Bel.

• À partir de Philippe III, des moulages sont faits sur les visages des rois au moment de leur mort. La statue funéraire de Philippe III est considérée comme le premier portrait fidèle d'un roi de France.

LE HARDI
1270-1285

# Un roi influençable

## Un roi pieux et honnête

Philippe III est le fils de saint Louis et de Marguerite de Provence. Il devient roi en 1270, alors qu'il accompagnait son père à la huitième croisade. Lors de cette expédition, il perd également sa femme, Isabelle d'Aragon.

Philippe III a la même piété et la même droiture que son père, mais n'a pas la même intelligence. Tout au long de son règne, il manque de fermeté et ne parvient pas faire imposer ses idées et son autorité. Pourtant, il est surnommé « le Hardi » pour son audace et sa bravoure au combat.

## Un entourage envahissant

Au cours du règne, ses conseillers prennent du pouvoir et cela déclenche quelques scandales. On reproche au roi d'avoir facilité la fortune de Pierre de La Brosse, ancien valet de chambre de saint Louis. À la suite d'une conspiration, menée par la reine, Pierre de La Brosse est condamné à être pendu, le roi l'abandonne à son triste sort.

Le roi est partagé entre deux groupes hostiles à la cour : celui de sa jeune femme, Marie de Brabant, et celui de la reine mère, Marguerite de Provence.

## Une politique étrangère hésitante

Son manque d'initiative a des conséquences fâcheuses : le roi suit une politique hasardeuse et confuse. Tout d'abord, sa candidature à l'Empire germanique est un échec. Puis, il cède le Comtat Venaissin au pape et donne au roi d'Angleterre la région d'Agen (l'Agenais) sans demander la moindre compensation en échange. Ensuite, en 1285, il s'engage dans une guerre désastreuse contre l'Aragon. C'est d'ailleurs au retour de cette expédition que Philippe III meurt à Perpignan.

## Marie de Brabant : une jeune reine romanesque

Après la mort de sa première femme, Isabelle d'Aragon, Philippe III épouse la jeune et jolie Marie de Brabant. Celle-ci s'entoure d'une cour où évoluent des poètes et des artistes qui donnent une nouvelle impulsion au roman courtois.

# Philippe IV le Bel
## [ 1268-1314 ]

 1285 à 1314

## Le sais-tu ?

• Philippe IV le Bel devient roi de France à 17 ans et se marie avec Jeanne de Navarre.

• Le règne de Philippe IV le Bel fait progresser l'unification du royaume, l'organisation de l'État et l'affirmation de la puissance royale : tout cela contribue à édifier la France moderne.

• C'est en 1309 qu'un pape (Clément V) s'installe à Avignon : la ville est plus calme que Rome qui est en proie à de nombreuses révoltes à cette époque. Des papes seront présents à Avignon jusqu'en 1417.

• Les Templiers étaient à la fois des religieux et des militaires : une croix rouge était cousue sur leur costume.

# L'édification de la France moderne

## Un beau roi à la personnalité obscure

Philippe IV est le fils de Philippe III le Hardi et d'Isabelle d'Aragon. C'est un homme de grande taille, il est blond et tous les témoignages soulignent sa beauté. Mais c'est aussi un roi glacial et impassible : il regarde fixement les gens sans leur parler. Il ne se met jamais en colère, mais il peut se montrer très dur avec ses adversaires.

## Le fondateur de l'État moderne

La monarchie s'affirme aux dépens de la féodalité. Philippe IV est le premier roi à consulter une assemblée composée de représentants des trois ordres du royaume : clergé, noblesse, bourgeois (on ne parle pas encore de tiers état). Cela deviendra les États généraux. Philippe IV réforme la justice et crée la chancellerie, chargée d'enregistrer les actes royaux. Le roi s'entoure de conseillers juristes talentueux (les légistes) : Guillaume de Nogaret (garde du Sceau royal), Enguerrand de Marigny (chambellan) ou le bailli Philippe de Beaumanoir, nommé au Conseil du roi.

## Comment régler ses problèmes financiers ?

Avec l'augmentation des services administratifs, Philippe IV a besoin d'argent : il décide de frapper des pièces avec un poids d'or et d'argent inférieur à ce qu'il était auparavant. Il multiplie les impôts impopulaires, emprunte de force aux villes prospères, taxe lourdement le clergé, oblige la population à nourrir et à équiper les hommes d'armes, impose un impôt sur la fortune. Il confisque les biens des Juifs et des marchands lombards et saisit ceux des Templiers.

## Le procès des Templiers

L'ordre du Temple avait été fondé à Jérusalem en 1119. Les Templiers étaient chargés de protéger les pèlerins qui venaient jusqu'en Terre sainte. Au fil des années, l'ordre acquiert de l'autorité et une immense fortune. À la suite d'accusations mensongères, le roi décide d'arrêter les Templiers. Beaucoup périssent sur le bûcher comme leur grand maître, Jacques de Molay. Celui-ci, juste avant de mourir, aurait maudi le pape, le roi et Guillaume de Nogaret... tous les trois meurent en quelques mois !

# Louis X le Hutin et

[1289-1316]

## Le sais-tu ?

• Le surnom de Louis X, le Hutin, signifie le querelleur. Philippe V est appelé le Long en raison de sa maigreur, et Charles IV est surnommé le Bel pour souligner sa beauté.

• Les hommes du Moyen Âge se lavent régulièrement dans les bains publics ou dans les rivières.

• La vie des Français est réglée par le soleil. À Paris, on sonne le cor de l'une des tours du Châtelet pour avertir les habitants que le jour est levé ; à la campagne, le chant du coq fait office de réveil-matin.

## Louis X (1314-1316) : un règne de 16 mois !

Louis X est le fils aîné de Philippe IV. Il est déjà roi de Navarre lorsqu'il devient roi de France. Très vite il doit faire face aux revendications des nobles et leur accorde des droits. C'est en buvant un verre de vin glacé, après une partie de jeu de paume, qu'il est pris de malaise et meurt soudainement. Il laisse une fille, Jeanne, de son premier mariage, et la reine, Clémence de Hongrie, est enceinte du futur Jean Ier qui mourra au bout de 5 jours !

## Philippe V (1316-1322) : un régent qui devient roi

Philippe V le Long est d'abord régent, puisque la femme de Louis X est enceinte : il ne devient roi qu'après la mort du petit Jean Ier. C'est un roi travailleur et intelligent, mais il est superstitieux et croit aux maléfices. Généreux, il fait de nombreux dons et améliore le sort des pauvres. Il crée des milices pour faire régner l'ordre dans les villes, met fin aux guerres privées, réduit les duels et interdit les tournois. Philippe V persécute aussi les Juifs et envoie de nombreux lépreux au bûcher en les accusant d'empoisonner les puits. Il meurt après plus de 5 ans de règne, mais il n'a pas de fils : son frère Charles IV le Bel lui succède.

## Charles IV le Bel (1322-1328) poursuit la politique familiale

Charles IV le Bel, qui est connu pour sa beauté et sa culture, poursuit la politique de maintien de la paix entreprise par son frère, et n'hésite pas à faire condamner les nobles qui ne respectent pas la justice royale. Charles IV négocie aussi avec l'Angleterre à propos de la Guyenne. Malgré ses trois mariages, il meurt sans descendance mâle : avec lui s'éteint la dynastie des Capétiens directs.

## La société française au début du XIVe siècle

Les Français de cette époque ne parlent pas la même langue au nord (langue d'oïl) et au sud (langue d'oc). Sous les règnes de Philippe le Bel et de ses fils, les bourgeois (les marchands et les artisans des villes) s'enrichissent et s'élèvent socialement. Les ouvriers sont d'abord apprentis avant d'entrer dans un métier sous la direction d'un maître. Mais plus de 8 Français sur 10 sont des paysans : on les appelle les vilains.

# Panique chez

Fig. 34. — Bourrelet en pain fendu. 1463, *Histoire de Charles Martel*, t. III, Bruxelles, ms. n° 8, f° 21 v°.

Fig. 36. — Coiffure à cornes avec mousseline drapée sur les lobes. 1448, *Histoire de Hélayne*, Bruxelles, ms. n° 9967, f° 71.

Fig. 38. – Hennin tronqué avec jugulaire de velours. 1463, *Histoire de Charles Martel*, t. III, Bruxelles, ms. n° 8 f° 21 v°.

Fig. 35. — Bourrelet laissant passer les cheveux. 1468, *Renaud de Montauban*, t. II, Paris, Arsenal, ms. n° 5073, f° 195 v°.

Fig. 37. — hennin conca... couvre-chef... *Histoire de...* Martel, t. II, ... ms. n° 7, f° 2...

## Le sais-tu ?

• Jeanne, la fille de Louis X, devient quelques années plus tard la reine Jeanne II de Navarre.

• Les XIIIᵉ et XIVᵉ siècles sont des époques d'élégances. Les costumes sont de couleurs vives, et les hommes comme les femmes portent des robes longues.

• À l'époque, les femmes se coiffent d'un hennin qui est souvent complété d'une mentonnière.

• Le grand écrivain du XIXᵉ siècle, Alexandre Dumas, romança le scandale des brus de Philippe IV le Bel dans son livre « La Tour de Nesle »

# les Capétiens

## Les rois n'ont plus de fils pour leur succéder !

### Le scandale des brus de Philippe IV le Bel

Un incroyable scandale éclate en 1314 à la cour de Philippe IV le Bel. Les fils du roi avaient épousé de ravissantes princesses : Marguerite (femme de Louis X), Jeanne (femme de Philippe V) et Blanche (femme de Charles IV). Elles sont gaies, élégantes et apprécient le luxe. Elles égayent la cour, mais sont un peu frivoles et n'hésitent pas à porter des robes audacieuses qui s'ouvrent jusqu'aux hanches ! Elles sont amoureuses de beaux chevaliers mais ne sont pas très discrètes. Lors d'une fête, le scandale éclate au grand jour ! Les pauvres chevaliers sont exécutés. Marguerite et Blanche avouent leur infidélité et sont emprisonnées ; seule Jeanne proclame son innocence et revient auprès de son mari. Marguerite meurt opportunément en 1315 (sans doute étranglée) ce qui permet à son époux, Louis X, de se remarier ; quant à Blanche, elle entre au couvent.

### Les femmes sont définitivement écartées du trône de France

Louis X le Hutin a une fille, Jeanne, de son mariage avec Marguerite, mais on doute de sa légitimité : c'est la première fois qu'un Capétien n'a pas de fils pour lui succéder ! L'avènement de son frère Philippe V est approuvée par une assemblée de grands. Dès lors, le fait d'évincer les femmes du trône devient une coutume. Ainsi, à la mort de Philippe V, qui a 4 filles, le trône revient naturellement à son frère Charles IV. Pourtant, à l'époque, nombre de femmes sont à la tête d'un fief, d'un duché ou d'un comté. On interprète alors la vieille loi salique de Clovis pour décider que les femmes ne pourront jamais monter sur le trône de France !

### Les origines de la guerre de Cent Ans

À la mort de Charles IV le Bel, le trône revient à son cousin germain : Philippe de Valois. C'est alors que la propre sœur de Charles IV, Isabelle, réclame le trône pour son fils. La question est vite tranchée car il s'agit du roi Édouard III d'Angleterre : il n'est pas concevable de donner la France à l'Angleterre ! C'est de cette polémique qu'éclate la guerre de Cent Ans quelques années plus tard.

## Quelques dates clés

**1328** : Les Capétiens n'ayant pas de fils, le trône de France revient à une branche capétienne cadette : les Valois.

**1337-1453** : La Guerre de Cent Ans oppose la France à l'Angleterre.

**1420** : Traité de Troyes : le roi Charles VI donne le royaume aux Anglais.

**1429-1431** : Épopée de Jeanne d'Arc.

**1494** : Expédition de Charles VIII en Italie.

**1515** : François Ier remporte la bataille de Marignan sur les Suisses.

**1572** : Massacre de la Saint-Barthélemy.

**1589** : Henri III est assassiné par le moine Jacques Clément. Fin de la branche des Valois.

# Les Valois

 **Philippe VI** de Valois
👑 1328 à 1350

 **Anne**
**de Bretagne**

 **Jean II** le Bon
👑 1350 à 1364

 **Louis XII**
👑 1498 à 1515

 **Charles V** le Sage
👑 1364 à 1380

 **François I**er
👑 1515 à 1547

 **Charles VI** le Fol
👑 1380 à 1422

 **Henri II**
👑 1547 à 1559

 **Isabeau**
**de Bavière**

 **Catherine**
**de Médicis**

 **Louis XI**
👑 1461 à 1483

 **François II**
👑 1559 à 1560

 **Charles VIII**
👑 1483 à 1498

 **Charles IX**
👑 1560 à 1574

**Henri III**
👑 1574 à 1589

# Philippe VI de Va

[1294-1350]

 1328 à 1350

## Le sais-tu ?

• Philippe VI de Valois devient roi à 34 ans et règne 22 ans. De Philippe VI à Henri III, c'est une branche cadette des Capétiens qui règne sur la France : ce sont les Valois.

• En 1349, la France s'agrandit du Dauphiné.

À partir de Charles V, le Dauphiné est donné au fils aîné du roi qu'on appelle désormais : le Dauphin. S'il administre lui-même le Dauphiné, il n'y réside pas.

**Le début**

# de la guerre de Cent Ans

## Philippe VI de Valois ne savait pas qu'il deviendrait roi

Philippe VI de Valois est le cousin germain du roi précédent, Charles IV le Bel. Puisqu'il n'est pas fils de roi, il n'était pas destiné à régner, mais ses cousins meurent sans fils et n'ont que des filles. Philippe VI est alors choisit par une assemblée de barons. À 34 ans, il monte sur le trône de France, alors qu'il n'y était pas du tout préparé.

Philippe VI est avant tout un roi chevalier, plus préoccupé à défendre ses propres intérêts que de s'occuper du royaume. D'ailleurs, il aime le luxe, dépense beaucoup d'argent et n'hésite pas à se servir dans le trésor royal pour organiser, à la cour, de somptueuses fêtes. On lui reproche de délaisser le peuple.

## Les débuts de la guerre de Cent Ans

Édouard III, roi d'Angleterre et neveu du dernier roi Charles IV, considère que la couronne de France lui revient. Mais, comment peut-on laisser le trône au roi d'Angleterre ? Cela est impossible ! Pourtant, en 1337, Édouard III ne veut pas renoncer et engage les deux pays dans un très long conflit : la guerre de Cent Ans !

La guerre de Cent Ans n'est pas une guerre continuelle, mais elle est ponctuée de petites et de grandes batailles, le tout entrecoupé de nombreuses trêves. La guerre commence mal pour la France : sa flotte est écrasée par les Anglais, puis elle subit une cuisante défaite à Crécy, en 1346. La chevalerie française est beaucoup plus indisciplinée que les Anglais qui disposent d'un meilleur armement. Les Anglais s'emparent ensuite de la ville de Calais où six bourgeois viennent se livrer au roi d'Angleterre, au risque d'être tués, pour sauver les habitants de leur ville. Édouard III veut les faire mourir, mais la reine intervient en leur faveur : ils ont la vie sauve. Cependant, la ville reste anglaise jusqu'en 1558 et les Calaisiens sont remplacés par des Anglais.

## Le royaume à la fin du règne de Philippe VI

Philippe VI est le premier roi écologiste : en instituant des agents des eaux et forêts, il est le premier à se préoccuper de la protection de la nature.

Philippe VI laisse, à sa mort en 1350, un pays affaibli, bien qu'il ait agrandi le royaume en rattachant le Dauphiné et Montpellier à la couronne. Mais surtout, le pays est ravagé par la peste noire : un habitant sur trois meurt. Cette peste, apportée d'Asie centrale par des marins italiens, est un fléau bien pire que la guerre.

# Jean II le Bon

## [1319-1364]

 **1350 à 1364**

## Le sais-tu ?

• Le surnom le Bon donné au roi Jean II est plus une référence à son côté brave et bon vivant qu'à sa générosité.

• Jean II le Bon est le premier roi dont on a conservé le portrait. Avant lui, on ne dispose que de descriptions écrites ou de statues funéraires sur les traits physiques des rois et non pas de peintures.

• Il a régné 14 ans et meurt à l'âge de 44 ans. Il s'est marié deux fois : avec Bonne de Luxembourg, mère de Charles V, et avec Jeanne de Boulogne.

• Jean II donne le duché de Bourgogne à son dernier fils, Philippe le Hardi.

• Pour payer la rançon de Jean II le Bon, prisonnier des Anglais, on frappe une nouvelle monnaie d'or : le franc.

# Le roi prisonnier des Anglais

## Un roi impulsif mais bon

Jean II le Bon est le fils de Philippe VI de Valois. Cultivé, Jean II apprécie les objets d'art, les beaux livres et tout ce qui est luxueux. Mais il est avant tout un roi qui aime la bagarre. Il est orgueilleux, impulsif et entre parfois dans des colères effrayantes. Pourtant, Jean II sait écouter son peuple : il tente d'effacer les injustices et se montre attentif aux plus pauvres.

Dès le début de son règne, Jean II veut réorganiser l'armée pour renforcer et discipliner la chevalerie. Il forme une élite militaire, en créant l'ordre de l'Étoile qui récompense les plus valeureux.

Il se heurte aux manœuvres de son cousin Charles le Mauvais, roi de Navarre, qui revendique la couronne de France et agit contre le royaume. Exaspéré, Jean II surgit un jour avec une centaine d'hommes, lors d'un banquet, pour s'emparer de lui et l'emprisonner.

## Le roi prisonnier... à Londres !

La guerre reprend avec Angleterre en 1355 et les armées françaises doivent lutter contre celles du fils du roi d'Angleterre, appelé le Prince Noir en raison de la couleur de son armure. Les Français subissent une défaite à Poitiers, en 1356, au cours de laquelle le roi est fait prisonnier et emmené à Londres. Sa capture amène le chaos dans le royaume : les caisses sont vides, des bandes ravages les campagnes, et des révoltes paysannes (les Jacqueries) s'attaquent aux nobles et aux seigneurs.

## Le royaume sans le roi

Pendant la captivité du roi, le Dauphin Charles s'occupe du royaume mais doit faire face au prévôt des marchands de Paris, Étienne Marcel, qui tente de soulever la population contre lui.

Au traité de Brétigny (1360), le roi d'Angleterre obtient de vastes territoires (pratiquement la moitié du royaume de France !) et la rançon royale est fixée à trois millions d'écus. Après 4 années de captivité et un premier paiement, Jean II est libéré, mais il n'y a pas assez d'argent pour payer le reste de la rançon : Jean II repart alors à Londres. En fait, il y retrouve une vie luxueuse et surtout la belle comtesse de Salisbury, il y meurt en 1364.

# Charles V le Sage

[1338-1380]

## 👑 1364 à 1380

### Le sais-tu ?

• De son mariage avec Jeanne de Bourbon, il a 8 enfants, dont le futur Charles VI.

• Charles V le Sage est un roi qui est atteint d'une maladie inconnue : à la fin de sa vie, il ne monte plus à cheval et doit se déplacer en litière (il meurt à 43 ans).

• Sous son règne il y a en même temps un pape à Rome et un autre à Avignon (de 1378 à 1417) : c'est le grand schisme d'Occident.

# Un réformateur efficace

## Charles V était-il vraiment sage ?

Charles V est un homme posé, jamais enclin aux colères ou à l'excès : cela change des caractères impulsifs de son père et de son grand-père. Simple dans la vie quotidienne, c'est un intellectuel qui a beaucoup d'humour et qui est curieux de tout. Il est aussi très attentif aux hommes et aux choses. Son surnom de Sage s'explique par son savoir et sa culture, mais aussi pour sa modération. Charles V est un homme prudent, soucieux de gouverner avec intelligence. Pour cela il s'inspire des réflexions de ses conseillers, comme le chevalier Philippe de Mézières ou l'universitaire Nicolas Oresme. Il pense qu'œuvrer au profit de tous est une obligation pour la monarchie.

## Un roi intellectuel, bâtisseur et gestionnaire

L'esprit toujours en éveil, le roi est un homme très cultivé, il est passionné de philosophie et de science. On lui doit une bibliothèque, appelée « librairie », qu'il installe dans une tour aménagée spécialement au Louvre et qui est ouverte au public. Il achète tout le temps des livres : à la fin de son règne il en possède près de mille. Il fait traduire des livres latins en français pour lesquels il faut parfois inventer de nouveaux mots ! Charles V est un homme qui aime les beaux objets, comme en témoigne sa collection de joyaux.

Pour réaffirmer le prestige de la monarchie, il fixe la majorité du roi à 13 ans et se déplace en grand apparat. Il prend soin des bâtiments royaux : il embellit le Louvre et construit la Bastille. Il édifie à Paris l'hôtel Saint-Pol, dans lequel il aime résider.

Il réorganise la justice pour qu'elle fonctionne mieux et plus vite. Les impôts sont augmentés, mais ils sont mieux répartis car toutes les catégories sociales payent, ce qui n'était pas une habitude. Il améliore l'équipement des soldats et reconstruit une marine. Charles V lutte aussi contre les Grandes Compagnies, ces groupes de mercenaires qui pillent le pays.

## Et toujours la guerre !

Charles V débute son règne par une victoire sur les troupes de Charles le Mauvais, à Cocherel, où s'illustre un chevalier breton illettré et disgracieux, mais fidèle et bon soldat : Bertrand Du Guesclin. La guerre reprend contre l'Angleterre et les troupes du Prince Noir. Les Français, mieux organisés et aidé par Du Guesclin, nommé connétable de France, remportent quelques victoires. Lorsque Charles V meurt en 1380, il a reconquis sur les Anglais de nombreux territoires.

# Charles VI le Fol

[1368-1422]

 **1380 à 1422**

## Le sais-tu ?

• Charles VI le Fol est marié à Isabeau de Bavière qui lui donne le futur Charles VII.

• Lors de ses crises de folie, Charles VI croit parfois qu'il est en verre et craint de se briser au moindre mouvement ! Parfois il refuse de se laver pendant des semaines...

• En signant le traité de Troyes, en 1420, Charles VI désigne le roi d'Angleterre comme son héritier : désormais les rois anglais se proclameront roi d'Angleterre et roi de France jusqu'en 1802 !

# Comment la folie vint au roi ?

## Un jeune roi sympathique...

Charles VI n'a que 12 ans à la mort de son père Charles V : ce sont alors ses oncles qui s'occupent du royaume mais le gèrent mal. En 1388, à 20 ans, Charles VI écarte ses oncles et les remplacent par des hommes moins dépensiers. Il a les yeux vifs et la chevelure blonde. Son cœur est grand et généreux. Il est si accueillant qu'il discute volontiers avec toutes les personnes qui l'abordent.

## ... qui devient fou !

La première crise de folie du roi se passe dans la forêt du Mans en 1392 : il s'attaque à ses compagnons d'armes. Puis, en janvier 1393 lors du célèbre « bal des Ardents », où les déguisements de plusieurs personnes prennent feu, la folie du roi décuple par la peur qu'il a de périr aussi : il échappe aux flammes grâce à sa tante qui le couvre de ses jupes ! Les oncles de Charles VI en profitent pour revenir au pouvoir.

## Les difficultés avec le duché de Bourgogne

Sous Charles VI, les ducs de Bourgogne, Philippe le Hardi puis son fils Jean sans Peur, sont très puissants. Ce dernier n'hésite pas à faire assassiner Louis d'Orléans, le frère du roi : c'est le début d'une guerre civile qui oppose les partisans du duc de Bourgogne, les Bourguignons, à ceux que l'on nomme les Armagnacs. Ces luttes entre princes favorisent les émeutes populaires qui sont durement réprimées.

En 1418, Jean sans Peur prend Paris et s'empare du roi. La capitale est en proie à des soulèvements sanglants, dirigés par le bourreau Capeluche. Pour mettre fin à la guerre civile, Jean sans Peur accepte de rencontrer le Dauphin, mais se fait assassiner. Après cet événement tragique, le fils de Jean sans Peur, Philippe le Bon, s'oppose au roi de France et s'allie aux Anglais.

## Le roi donne la France... aux Anglais !

La guerre de Cent Ans se poursuit. En 1415, les Anglais gagnent la bataille d'Azincourt et parviennent à conquérir la Normandie, deux ans plus tard.

Le roi Charles VI accepte dans sa folie, en 1420, de signer le traité de Troyes qui donne la France... aux Anglais ! En effet, en mariant sa fille Catherine au roi d'Angleterre, Charles VI reconnaît ce dernier comme son héritier, oubliant son propre fils, le Dauphin.

Charles VI laisse, à sa mort en 1422, un royaume divisé par des guerres civiles et considérablement réduit entre les possessions anglaises et les possessions bourguignonnes.

# Isabeau de Bavière

[1371-1435]

## Le sais-tu ?

• Isabeau de Bavière se marie à 14 ans avec Charles VI. À 21 ans, elle est la femme d'un fou !

• Son vrai prénom est Élisabeth et c'est une princesse allemande.

• Isabeau donne 12 enfants au roi. Elle est la mère de Charles VII et deux de ses filles épousent des rois d'Angleterre.

• À la suite du traité de Troyes, le jeune Henri VI d'Angleterre est sacré roi de France à Notre-Dame de Paris en 1431.

# Était-elle une mégère ?

## Une femme aux mœurs peu recommandables

Isabeau de Bavière conserve une très mauvaise réputation. Elle a, dit-on, de nombreux amants (Louis d'Orléans, le frère du roi ; Jean sans Peur puis Philippe le Bon). Il est vrai qu'elle est belle et séduisante, d'ailleurs Charles VI en tombe immédiatement amoureux. Isabeau aime Charles VI malgré sa folie, mais elle en profite pour prendre de l'ascendant sur lui. On lui confie la direction des affaires pendant les « absences » du roi. Elle tente de placer des hommes à elle, notamment des fidèles venus de Bavière, mais les oncles de Charles VI font en sorte de ne lui laisser aucun pouvoir.

## Isabeau se tourne vers l'ennemi anglais !

La plus grande faute d'Isabeau est peut-être de ne s'être jamais sentie vraiment française, au point de se tourner vers les Anglais. En effet, elle encourage l'alliance de la Bourgogne et de l'Angleterre... contre la France ! C'est grâce à cette alliance que les Bourguignons peuvent s'emparer de Paris. Elle est l'instigatrice du fameux traité de Troyes (1420) qui livre le pays aux Anglais : ce traité est unique dans notre histoire !

## Une triste fin

Après le déclenchement de la folie du roi, elle s'installe à Paris dans l'hôtel Barbette qu'elle embellit et aménage somptueusement.

Veuve à 51 ans, Isabeau finit sa vie à Paris dans l'hôtel Saint-Pol. Elle est isolée de tous : le peuple oublie qu'elle existe encore et les gouvernants la tiennent à l'écart des affaires. Ayant toujours aimé la bonne chère, elle devient vite obèse. Après avoir eu tous les honneurs et une vie de luxe, elle vit bien tristement. Elle meurt vieille et seule à 64 ans.

## Une mode extravagante

L'époque de Charles VI et d'Isabeau de Bavière est une période trouble pour la France : le roi est fou et la guerre civile ruine le royaume. Les hommes et les femmes se mettent à se vêtir de façon extravagante. Les hommes accrochent des clochettes sur leurs habits, et leurs pourpoints (vêtement qui couvre le buste) sont brodés de perles. Ils portent également des chaussures très longues et très pointues (les poulaines) ! Les femmes, quant à elles, se coiffent de cornes gigantesques et portent des robes très serrées à la taille, très longues et trop larges.

# Louis XI
## [1423-1483]

 1461 à 1483

## Le sais-tu ?

• Pendant ses 22 ans de règne, Louis XI agrandit le royaume.

• Malgré l'opposition de son père, Louis XI épouse Charlotte de Savoie.

• Ironie du sort, alors que Louis XI était un Dauphin avide de gouverner, il dut attendre l'âge (inhabituel) de 38 ans pour accéder au trône.

• Philippe de Commynes est le grand biographe de Louis XI : il devient le conseiller le plus écouté du roi. Il servira aussi sous Charles VIII et Louis XII.

• Louis XI est enterré non à Saint-Denis, comme les autres rois de France, mais dans son lieu de pèlerinage favori, à Notre-Dame de Cléry, près d'Orléans.

# L'intérêt du royaume avant tout

## Un homme rusé au caractère bien trempé

Avant d'être roi, Louis XI ne cesse d'intriguer contre son père en participant à des complots et à des révoltes. Son père l'envoie alors administrer le Dauphiné en 1447. Louis XI n'est pas très beau et se coiffe toujours d'un bonnet où sont accrochées des médailles. Proche du peuple, il se méfie des nobles et choisit ses conseillers dans la classe moyenne. Préférant la vie simple, il s'installe en Touraine, à Plessis-lez-Tours. Il n'aime ni les fêtes ni le luxe, mais apprécie le bon vin. Pieux, Louis XI est surtout un fin politique. Il est doué pour la communication et se sort toujours des mauvais pas. Pour l'intérêt de l'État, Louis XI peut éliminer sans scrupules !

## Louis XI renforce le pouvoir royal

Autoritaire de nature, Louis XI entend exercer seul le pouvoir, ce qui mécontente les nobles qui se soulèvent en 1465. Son plus grand ennemi est le duc de Bourgogne, Charles le Téméraire, qui le garde prisonnier pendant 3 jours. Les deux hommes se détestent et s'opposent jusqu'à la mort de Charles le Téméraire, en 1477. Louis XI en profite pour s'emparer de la Bourgogne.

Grâce à son art de la diplomatie, Louis XI parvient à agrandir le domaine royal.

## Un roi moderne

Louis XI est un roi avide de comprendre et de transformer son temps. Il réorganise la production agricole entre les régions et accorde de nombreux avantages aux villes pour leur permettre de développer le commerce. La création de grandes foires à Lyon et à Rouen encourage la consommation et la production. Louis XI, comprenant l'importance de la prospérité économique, développe les industries de luxe, et veut créer une grande compagnie de commerce maritime pour échanger avec l'Orient.

Il améliore le réseau routier et s'intéresse de près à l'imprimerie dont il encourage le développement. En instaurant le service des chevaucheurs, au départ dans un but militaire, il donne naissance au service postal.

## Un roi malade et fatigué

Frappé de paralysie, à la fin de sa vie, Louis XI se retire volontairement dans son château de Plessis-lez-Tours. Il a peur d'avoir la lèpre et interdit à son entourage de parler de la mort.

# Charles VIII

## [1470-1498]

 1483 à 1498

### Le sais-tu ?

• Charles VIII n'a que 12 ans à la mort de son père. Il meurt à 28 ans sans enfants et sa mort, en 1498, marque la fin de la dynastie des Valois directs.

• Lors des obsèques de Charles VIII à Saint-Denis, c'est la première fois que l'on proclame le célèbre adage : « le roi est mort, vive le roi ».

# Les débuts de la Renaissance

## Un jeune roi chétif

Charles VIII est l'unique fils de Louis XI et de Charlotte de Savoie. À la mort de son père, il n'a que 12 ans et une santé fragile. C'est sa sœur Anne qui, avec son mari Pierre de Beaujeu, assure la régence : c'est une femme obstinée et d'une grande intelligente, on dit même qu'elle est « la femme la moins folle de France ». Le règne débute avec la convocation des États généraux : toutes les provinces françaises sont représentées et les grands du royaume cherchent à affaiblir le pouvoir royal, mais les Beaujeu parviennent à maintenir l'autorité monarchique.

Charles VIII a le visage maigre, le nez busqué et les yeux globuleux. Il restera toute sa courte vie chétif et maladif. Bien que baigné par les romans de chevalerie qui encouragent la vaillance, il est timide et peu entreprenant : d'ailleurs il se désintéresse des affaires et laisse ses conseillers, Guillaume Briçonnet ou Etienne de Vesc, s'en occuper.

Charles VIII se marie, en 1491, à Anne de Bretagne, unique héritière du duché.

## Charles VIII engage la France dans les guerres italiennes

Charles VIII, ayant des droits sur Naples, décide de traverser toute l'Italie avec ses armées. Les habitants de Florence, Rome et Naples lui font un accueil triomphal car ils étaient soumis à des régimes tyranniques. La ville de Naples est conquise en 1495 et le roi s'installe sur son nouveau trône. Mais, très vite, le séjour des Français est mal accepté car l'armée se prête au pillage. Toute une partie de l'Italie se ligue alors contre le France. Charles VIII doit bien vite renoncer à sa conquête.

## Les débuts de la Renaissance

En allant en Italie, le roi et ses troupes sont au contact de la Renaissance italienne. Des collections d'œuvres d'art sont même dérobées à Rome et à Florence. Avec Charles VIII, les Français entrent dans cette nouvelle époque qu'est la Renaissance. C'est d'ailleurs le début de la construction des châteaux de la Loire avec celui d'Amboise.

## Méfiez-vous des portes basses !

En avril 1498, en partant jouer au jeu de paume, Charles VIII se heurte violemment la tête contre une porte basse de son château d'Amboise. Il titube, poursuit sa marche, mais tombe par terre sans connaissance. Il n'a que 28 ans, et meurt sans héritier.

# Anne de Bretagne

[1477-1514]

## Le sais-tu ?

• Anne de Bretagne a vécu 37 ans et a été deux fois reine de France : elle a épousé Charles VIII puis Louis XII.

• Anne de Bretagne et Louis XII créent autour d'eux une cour brillante et joyeuse.

• Anne de Bretagne détestait la mère de François Ier, Louise de Savoie, et tenta de s'opposer au mariage du futur roi avec sa fille Claude.

• C'est la dernière duchesse de Bretagne : après elle, la Bretagne est définitivement rattachée à la France.

# ... Et la Bretagne devient française !

### Une riche héritière qui ne manque pas de prétendants !

Anne est la fille unique du duc de Bretagne. Très jeune à la mort de son père, elle veut défendre l'indépendance de son duché. Anne ne manque pas de prétendant : à 3 ans elle est fiancée à un prince anglais ; à 12 ans elle se marie avec Maximilien de Habsbourg, mais son mariage est annulé car elle a besoin du consentement de Charles VIII qui préfère l'épouser lui-même pour récupérer la Bretagne. Si celui-ci venait à mourir sans enfant, elle s'engage à épouser son successeur afin que la Bretagne reste attachée à la France ! Après la mort accidentelle de Charles VIII, elle est donc obligée d'épouser Louis XII qui est ravi de ce mariage puisqu'il est amoureux d'Anne depuis longtemps !

### Une femme généreuse et intelligente

Sans être très jolie, Anne de Bretagne est généreuse, bonne et intelligente. Intéressée par les arts, elle est un mécène actif et protège de nombreux artistes.

Son mariage avec Louis XII est très heureux. Elle lui donne deux filles : Claude, qui épousera François I$^{er}$ et donnera son nom à une variété de prune (la reine-claude), et Renée. Elle a plusieurs fils qui meurent en bas âge.

### Comment la Bretagne devient-elle française ?

Reine de France, Anne continue à administrer la Bretagne. Bonne gestionnaire, elle gouverne son duché avec sagesse et fermeté. Très attachée à préserver l'autonomie et les usages de son duché, elle refuse tous les droits de douanes sur les routes de Bretagne. Cet usage existe encore aujourd'hui : si tu vas en Bretagne, tu ne rencontreras aucun péage ! On disait d'ailleurs d'elle qu'elle était « excellente Bretonne, mais mauvaise Française ».

À sa mort, en 1514, la Bretagne est cédée au futur François I$^{er}$. Mais ce n'est en réalité qu'en 1532 que les états de Vannes acceptent définitivement l'union du duché à la couronne de France.

# Louis XII

## [1462-1515]

 **1498 à 1515**

## Le sais-tu ?

• Louis XII devient roi à 36 ans. Son père, Charles d'Orléans, était un poète célèbre.

• Louis XII poursuit les guerres d'Italie engagées par Charles VIII. Les Français en reviennent avec plusieurs artistes qui sont à l'origine du développement de la Renaissance en France.

• C'est en 1506 qu'une assemblée de notables lui décerne le titre de « Père du peuple ».

# Pourquoi le surnomme-t-on le « Père du peuple » ?

## Un prétendant obstiné

Fils du duc d'Orléans, Louis XII est le cousin de Charles VIII, dont il a épousé la sœur Jeanne. Il sait que si le roi n'a pas de fils, c'est à lui que revient le trône de France. Dès le début du règne de Charles VIII, il s'oppose à la régence d'Anne de Beaujeu : il est emprisonné pendant 3 ans. Après s'être réconcilié avec son cousin, il l'accompagne en Italie en 1495.

## Louis XII relance les guerres italiennes

Louis XII poursuit les guerres d'Italie et conquiert le Milanais. En 1500, il est pratiquement maître de toute l'Italie. Mais, quelques années plus tard, les Français sont chassés de Naples, puis perdent Milan. En 1513, la défaite de Novare met fin aux ambitions italiennes de Louis XII. Cette campagne militaire a été bien inutile. Mais, autant sa politique extérieure est aventureuse, autant sa politique intérieure est sage et prudente.

## Un roi généreux et affable

Il est surnommé « le Père du peuple » car il se montre généreux envers les déshérités. Il prend aussi plusieurs mesures pour améliorer la justice et rendre plus humain l'emprisonnement. Il baisse les impôts grâce à la prospérité économique. C'est une période où les progrès techniques permettent de développer le commerce et les échanges. Pendant son règne, la paix règne dans le pays et la population s'accroît. La construction des châteaux de la Loire se poursuit, comme Blois qui devient sa résidence préférée.

Mais Louis XII est surtout un homme affable et agréable qui séduit les gens qu'il rencontre : cela renforce encore sa popularité.

## Louis XII et ses femmes

Pour épouser Anne de Bretagne, le roi fait annuler par le pape son premier mariage avec la pauvre Jeanne de France (fille de Louis XI) qui était difforme. Jeanne se retire dans un monastère et deviendra sainte. Le roi, qui était amoureux d'Anne depuis longtemps, est heureux de « devoir » se marier avec elle ! Anne de Bretagne meurt peu avant lui. Mais le roi, à 52 ans, se remarie : il épouse Marie Tudor, âgée de 16 ans, sœur du roi d'Angleterre Henri VIII. Louis XII meurt le 1er janvier 1515, il n'a pas de fils et laisse le trône à son cousin : François d'Angoulême (François Ier).

# François Ier

 **1515 à 1547**

## Le sais-tu ?

• François Ier renforce le pouvoir royal et signe en ajoutant : « Car tel est notre bon plaisir ».

• L'emblème de François Ier est la salamandre : gros lézard jaune et noir à qui l'on prête des pouvoirs comme celui de ne pas craindre le feu !

• Le roi se fait appeler « Sa Majesté » et non plus « Le roi notre Sire ».

• La conquête du Nouveau Monde se poursuit. Le Français Jacques Cartier voyage au Canada.

• En 1539, l'ordonnance de Villers-Cotterêts décide que tous les actes officiels seront désormais rédigés en français et non plus en latin, puis charge l'Église de s'occuper des registres d'état civil.

# Le grand roi de la Renaissance

## Un roi chevalier

En 1515, François I<sup>er</sup> succède à son cousin Louis XII, dont il a épousé la fille, Claude, l'année précédente. Le roi est très grand (il mesure 2 mètres), il est élégant et courageux, mais un peu fantaisiste. Il débute son règne avec un coup d'éclat en remportant la célèbre victoire de Marignan (1515) sur les Suisses où s'illustre le fameux chevalier Bayard qui, paraît-il, était « sans peur et sans reproche ».

## La rivalité avec Charles Quint

Charles Quint, déjà roi des Pays-Bas, d'Espagne et des Amériques, est élu empereur en 1519 contre François I<sup>er</sup>. La rivalité commence alors entre les deux hommes. François I<sup>er</sup> tente de s'allier au roi d'Angleterre, Henri VIII, en l'invitant au célèbre Camp du Drap d'or. La guerre débute mal pour les Français, et en 1525, le roi est fait prisonnier lors de la bataille de Pavie : il est enfermé à Madrid. Ses deux fils, dont le futur Henri II, sont laissés en otages, pour libérer le roi. Pour battre Charles Quint, François I<sup>er</sup> s'allie avec des puissances protestantes ou avec le sultan turc Soliman le Magnifique.

## Un roi mécène

Le roi poursuit l'édification d'Amboise, lance la construction de Blois, de Fontainebleau et du plus grand des châteaux de la Loire : Chambord. Prince de la Renaissance, il est amateur d'art. C'est un roi mécène qui protège de nombreux artistes, humanistes, poètes et musiciens (Budé, Ronsard, Marot, Clouet). En 1516, François I<sup>er</sup> invite en France Léonard de Vinci. Le roi fonde aussi le Collège de France.

## François I<sup>er</sup> et les protestants

Vis-à-vis des protestants, le début du règne est placé sous le signe de la tolérance. Mais lorsque des protestants affichent sur la porte de la chambre du roi à Amboise un placard (une affichette) contre la messe, la provocation est peu appréciée et la répression est cruelle.

À la fin du règne, l'Espagne reste toujours la puissance ennemie, le royaume a des problèmes financiers et les guerres de religion sont en germe.

# Henri II

## [1519-1559]

 1547 à 1559

## Le sais-tu ?

• Henri II est emprisonné pendant 4 ans à Madrid, de 1526 à 1530, de 7 à 11 ans !

• Henri II renforce la centralisation monarchique car il ne supportait pas que l'on porte atteinte à son pouvoir : le Conseil étroit, avec lequel gouverne le roi, ne comporte que très peu de conseillers.

• Il paraît que Diane de Poitiers conservait sa beauté grâce au grand air et aux bains froids.

# Un roi autoritaire et amoureux

## Henri II : un roi austère

Aussitôt arrivé sur le trône, Henri II se débarrasse de tous ceux qui avaient servi son père (François I$^{er}$) et reprend un conseiller désavoué, Montmorency. Il en voulait à son père de l'avoir laissé emprisonné à Madrid alors qu'il était enfant. Il n'a pas la prestance ni la jovialité de François I$^{er}$, Henri II est plutôt froid et taciturne. De son père, il hérite cependant l'amour des tournois et du sport (chasse, jeu de paume, équitation).

## La lutte contre l'Espagne de Philippe II

Henri II lutte contre l'Espagne de Philippe II qui dispose de beaucoup de moyens depuis la découverte de mines d'argent en Amérique latine. Henri II poursuit l'alliance avec la Turquie, obtient les Trois-Évêchés (Metz, Toul, Verdun), reprend Calais aux Anglais, et signe le traité de Cateau-Cambrésis (1559). Mais toute la politique étrangère du roi est gênée par deux clans qui s'opposent autour de lui : celui de Montmorency et celui des Guise.

## Henri II durcit les peines contre les protestants

Dès le début de son règne, Henri II se montre très sévère contre les protestants que l'on appelle les réformés. Plusieurs d'entre eux sont condamnés à mort pour hérésie, et certains livres concernant la religion n'ont pas le droit d'être imprimés. Aucun réformé n'a le droit d'enseigner ou d'avoir une charge publique. De leur côté, les réformés ne sont pas tendres non plus avec le roi.

## Un homme entre deux femmes

Sur le plan personnel, Henri II vit entre son épouse Catherine de Médicis et la femme qu'il aimera jusqu'à sa mort : la belle Diane de Poitiers de 19 ans son aînée ! Intelligente et cultivée, Diane aime le roi, les bijoux et le luxe. Elle est aussi une fervente catholique et n'est pas étrangère aux persécutions qu'Henri II lance contre les protestants.

## Attention aux tournois, jeux dangereux !

C'est lors d'un tournoi donné en l'honneur des mariages de sa sœur Marguerite et de sa fille Élisabeth que le roi est blessé à l'œil par le comte de Montgomery. Malgré les soins prodigués par le chirurgien Ambroise Paré, qui fait exécuter des condamnés à mort pour utiliser leur tête et voir comment l'on peut retirer le bout de lance resté planté dans l'œil du roi, Henri II meurt dans d'atroces souffrances dix jours plus tard.

# Catherine de Médicis

## Le sais-tu ?

• Catherine de Médicis a eu 10 enfants : elle est la mère de trois rois de France.

• Elle est très superstitieuse et consulte souvent l'astrologue Nostradamus qu'elle fait venir à la cour.

• Elle meurt à Blois, à 70 ans. Elle est enterrée à Saint-Denis auprès d'Henri II, dans le tombeau qu'elle avait elle-même commandé à l'artiste italien Primatice et au sculpteur français Germain Pilon.

# Une épouse délaissée et une mère envahissante

## Une petite princesse italienne

Catherine de Médicis est issue d'une riche et influente famille de Florence. Ayant perdu ses parents très jeune, elle passe ses premières années à Rome sous la protection d'un oncle qui deviendra le pape Clément VII. En 1533, à 14 ans, elle épouse le futur Henri II. Catherine ne reverra plus jamais l'Italie. À la mort de François I$^{er}$ en 1547, elle devient reine de France.

## Une reine jalouse

Catherine, qui aime son mari, souffre de lui voir préférer Diane de Poitiers. Henri II porte même les couleurs de Diane (le blanc et le noir) lors du tournoi qui lui sera fatal, et entremêle le monogramme royal à celui de sa maîtresse. Lorsque Catherine devient veuve et régente à 40 ans, elle prend sa revanche sur sa rivale : elle lui enlève le château de Chenonceaux et Diane doit restituer des bijoux offerts par le roi. Diane se retire alors dans son château d'Anet. Pendant le règne d'Henri II, Catherine fait surtout son apprentissage politique et s'entoure de nombreux conseillers italiens.

## Une régente et une mère envahissante

Catherine a une forte personnalité et exerce un ascendant important sur ses fils qu'elle entoure d'une grande affection. Après la mort tragique d'Henri II, elle détient pendant trente ans la réalité du pouvoir sous les règnes successifs de ses trois fils : François II, Charles IX et Henri III, période parmi les plus troublées qu'ait connues la France. Catherine a le sens de l'État et veut préserver par tous les moyens la grandeur de la monarchie. Pour renforcer le pouvoir de Charles IX, elle voyage avec lui pendant 2 ans à travers le royaume.

## Catherine et les guerres de religion

Elle mène d'abord une politique de tolérance à l'égard des protestants et met sa confiance dans un homme modéré, Michel de L'Hospital. Elle marie sa fille Marguerite, la reine Margot, au protestant Henri de Navarre (futur Henri IV). Mais les tensions religieuses sont telles que certains catholiques (surtout le groupe des Guise) la pressent de rétablir son autorité : elle autorise le massacre de la Saint-Barthélemy (24 août 1572). Aux côtés d'Henri III, elle s'efforce de rétablir la paix intérieure.

# François II

## [1544-1560]

 1559 à 1560

### Le sais-tu ?

• François II est le fils aîné d'Henri II et de Catherine de Médicis. C'est un roi effacé qui ne règne que 18 mois.

• Sous son règne, la politique de répression contre les protestants commencée sous son père se poursuit, mais le chancelier catholique modéré, Michel de L'Hospital, accorde la liberté de conscience aux protestants en 1560.

• Marie Stuart mourra décapitée, condamnée par sa cousine, la reine Élisabeth I^re d'Angleterre.

# Avec Marie Stuart, il forme un charmant petit couple

## Un petit roi sous influence

À la mort de son père, François II à 15 ans : c'est un adolescent sans grande volonté ni caractère qui arrive sur le trône. Il laisse sa mère, Catherine de Médicis, et la famille des Guise gouverner à sa place. De constitution faible, il a une petite santé : il a souvent des vertiges et son oreille gauche est toujours infectée. Ses ennuis physiques le rendent colérique et parfois violent.

## Les difficultés religieuses

À cette époque, de nombreux nobles deviennent protestants (comme Antoine de Bourbon, père du futur Henri IV, le prince de Condé ou l'amiral de Coligny) et s'opposent au pouvoir royal. Certains d'entre eux cherchent même à enlever François II à Amboise, pour le soustraire à l'influence des Guise. Le projet est découvert et cette « conjuration d'Amboise » (1560) est durement réprimée.

## La délicieuse Marie Stuart

À 4 ans et demi, François est fiancé à Marie Stuart (reine d'Écosse) qui est âgée de 6 ans. Ils se marient en 1558 lors d'une fête éblouissante et leur jeunesse fait le bonheur de la cour. François II est amoureux de sa femme. Marie Stuart est une femme très séduisante : les grands poètes de son temps, comme Ronsard et Du Bellay, la couvrent de louanges. Intelligente et pleine d'esprit, elle est bonne cavalière, danse et chante à merveille. Reine d'Écosse elle est obligée, malgré elle, de repartir dans son pays après la mort de François II. Dans le bateau qui l'éloigne de la France elle dit, les yeux pleins de larmes : « Adieu France ! Ô ma patrie chérie qui a nourri mon enfance ». Elle ne revint jamais et connaîtra un destin tragique.

## Un règne trop court

François II meurt après un règne de 18 mois d'une infection de l'oreille. Sans postérité, il laisse le trône à son frère Charles IX qui n'a que 10 ans.

# Charles IX
## [1550-1574]

 **1560 à 1574**

## Le sais-tu ?

• C'est sous le règne de Charles IX que débutent les guerres de religion qui opposent violemment les catholiques et les protestants : on en distingue huit entre 1562 et 1598.

• À l'époque, les protestants sont appelés : réformés ou huguenots.

• Pour se distinguer, les protestants s'habillent de couleurs sombres.

• En 1564, Charles IX signe un édit qui fixe le début de l'année au 1ᵉʳ janvier et non plus le jour de Pâques comme il l'était de coutume depuis le XIᵉ siècle.

# Les guerres de religions
## ensanglantent le royaume

### Un jeune roi bien faible

Charles IX n'ayant que 10 ans à la mort de son frère, François II, la régence revient à sa mère, Catherine de Médicis. Passionné de chasse et d'armes à feu, le roi est généreux, mais peut se montrer violent et colérique. Petit, il faut le traîner aux séances du Conseil et, même adulte, il montre peu d'intérêt pour la politique. Le roi est un homme angoissé qui manque de conviction et d'autorité, et sa santé est fragile. Il resta toujours sous l'influence de sa mère et sa faible personnalité ne lui permit pas de faire face aux guerres qui déchirèrent le royaume entre catholiques et protestants.

### Le début des guerres de religion

Au début des troubles, Catherine de Médicis prône la tolérance : l'édit de Saint-Germain (1562) autorise le culte protestant en dehors des villes. Mais, la même année, les guerres de religion débutent avec le massacre de protestants à Wassy. Pour tenter de réconcilier les Français, elle entreprend un voyage d'un an et demi à travers le royaume pour présenter Charles IX à son peuple. Mais cela n'empêche pas la reprise des tensions. La reine mère poursuit sa politique d'apaisement en accordant aux protestants plus de libertés et des places fortes.

### Le massacre de la Saint-Barthélemy d'août 1572

C'est à cette époque que Charles IX se lie d'amitié avec l'amiral protestant, Gaspard de Coligny. La reine mère est furieuse de cette complicité. Avec l'aide des Guise, Catherine de Médicis parvient à persuader Charles IX que Coligny est à la tête d'un complot : le roi ordonne alors la mort de son ami et le massacre des chefs huguenots réunis à Paris à l'occasion du mariage de sa sœur Marguerite avec le protestant Henri de Navarre (futur Henri IV). Le jour de la Saint-Barthélemy, le 24 août 1572, la population parisienne se déchaîne. Le massacre dure 3 jours : dans les rues de la capitale les gens se trucident, des corps sont jetés dans la Seine et le désordre est partout.

### Un roi plein de remords

En 1574, Charles IX, rongé par la tuberculose et par les remords murmure sur son lit de mort : « Que de sang et de meurtres ! Ah, que j'ai eu de méchants conseils ». De son mariage avec Elisabeth d'Autriche, il n'a qu'une fille. Le trône revient à son frère, Henri III.

# Henri III

## [1551-1589]

 1574 à 1589

## Le sais-tu ?

• Henri III est connu pour avoir des manières raffinées, d'ailleurs, ses contemporains s'étonnaient de le voir utiliser à table une fourchette et non pas ses doigts !

• Sous Henri III, le calendrier compte 10 jours de retard par rapport à la rotation de la Terre autour du Soleil. En 1582 sous l'impulsion du pape Grégoire XIII, la France passe du 9 au 20 décmbre, du jour au lendemain !

• Au XVIᵉ siècle, la monnaie, la Livre tournois, ne cesse de perdre de sa valeur : l'État s'endette et les prix augmentent. Les guerres de religions ne font qu'amplifier la crise économique, même si Henri III multiplie les taxes.

# Et la fin tragique des Valois

## Un roi de Pologne peu pressé de rentrer en France

Avant d'être roi de France, Henri III avait été élu roi de Pologne, en 1573. À l'annonce de la mort de son frère, il s'échappe du sinistre château de Cracovie en se laissant glisser le long d'une corde. Après un voyage de six mois, entrecoupé de fêtes et de visites, notamment à Venise, il arrive enfin en France. Henri III est un homme intelligent et habile. Contrairement à ses frères, il n'aime guère la chasse, préférant les vêtements ou les bijoux, il porte d'ailleurs des boucles d'oreille. Il est courtois, cultivé et danse admirablement bien. Il aime se distraire, au bilboquet par exemple, avec ses compagnons et amis : les fameux « mignons » qui sont très impopulaires.

## Les guerres de religion se poursuivent

Très vite, Henri III doit s'occuper des questions religieuses. En 1575, il est contraint d'accorder des avantages considérables aux protestants. Cela suscite une réaction très forte des catholiques les plus intransigeants qui créent la Ligue dirigée par Henri de Guise, surnommé le « balafré ». Le mouvement ligueur se développe rapidement et s'organise militairement. La guerre reprend.

En 1584, Henri III perd son petit frère et lui-même n'a pas d'enfant. Cette situation fait d'Henri de Navarre, le chef des protestants, l'héritier du trône. La réaction populaire est vive et le chef de la Ligue prend de plus en plus de pouvoir. Henri de Guise se fait même acclamer à Paris en mai 1588 : la capitale se couvre de barricades et le roi est contraint de s'enfuir. Le pouvoir que prend le « balafré » est mal supporté par le roi qui décide de le faire assassiner en décembre 1588, au château de Blois.

## Le roi meurt assassiné

Après la mort d'Henri de Guise, la Ligue redouble d'animosité à l'égard du roi. Cela a pour effet de rapprocher Henri III de son cousin Henri de Navarre, appelé aussi le Béarnais. Ils décident de lutter ensemble contre la Ligue. Mais un moine fanatique, Jacques Clément, vient trouver le roi dans son château de Saint-Cloud et le poignarde alors que celui-ci est encore sur sa chaise percée, tout débraillé ! Avant de mourir, le 1er août 1589, Henri III a le temps de désigner Henri de Navarre comme son successeur légitime. C'est la fin de la dynastie des Valois.

## Quelques dates clés

**1598** : Édit de Nantes.

**1610** : Henri IV est assassiné par Ravaillac.

**1648-1653** : La noblesse et le parlement se révoltent : c'est la Fronde.

**1715-1723** : Période de la Régence : pendant la minorité de Louis XV, Philippe d'Orléans assure le pouvoir.

**1789** : Début de la Révolution française.

**1804-1814** : Période du Premier Empire avec Napoléon Ier.

**1814-1830** : Période de la Restauration : retour des Bourbons sur le trône de France avec Louis XVIII et Charles X.

**1830-1848** : Période de la Monarchie de Juillet : Louis-Philippe Ier d'Orléans devient « roi des Français ».

**1848** : Proclamation de la IIe République.

**1852-1870** : Période du Second Empire avec Napoléon III.

**1870** : Proclamation de la IIIe République.

# Les Bourbons
## et les Orléans

 **Henri IV**
👑 1589 à 1610

 **Marie de Médicis**

 **Louis XIII** le Juste
👑 1610 à 1643

 **Anne d'Autriche**

 **Louis XIV** le Grand
👑 1643 à 1715

 **Madame de Maintenon**

 **Louis XV** le Bien-Aimé
👑 1715 à 1774

 **Louis XVI**
👑 1774 à 1793

 **Marie-Antoinette**

 **Napoléon I$^{er}$ et Napoléon III**
👑 1804 à 1814    👑 1852 à 1870

 **Louis XVIII et Charles X**
👑 1814 à 1824    👑 1824 à 1830

 **Louis-Philippe I$^{er}$**
👑 1830 à 1848

# Henri IV

## [1553-1610]

### ♛ 1589 à 1610

## Le sais-tu ?

• Henri IV est né à Pau, dans le Béarn. Selon la tradition, son père lui frotta les lèvres avec de l'ail à sa naissance et, comme tous les Béarnais, il parle avec un accent et roule les « r ».

• Sully (Maximilien de Béthune) est un ami de jeunesse du roi ; il est lui-même protestant. Très attaché à l'agriculture, il considère que « labourage et pâturage sont les deux mamelles de la France ».

• Par l'édit appelé la Paulette, Henri IV permet aux officiers (agents au service du roi) de transmettre leurs charges à leurs héritiers moyennant une taxe.

• En 1608, le navigateur français, Samuel de Champlain, fonde la ville de Québec au Canada.

# Un protestant à l'assaut du royaume de France

## Comme il est difficile de conquérir son royaume !

Avec Henri IV, ce sont les Bourbons qui arrivent sur le trône de France. Il est le fils de Jeanne d'Albret (reine de Navarre) et d'Antoine de Bourbon. En 1589, il hérite d'un royaume déchiré par les guerres de religion et surtout, il est protestant. Il doit reconquérir son royaume contre les princes catholiques soutenus par l'Espagne. En 1590, Henri IV remporte la bataille d'Ivry en s'exclamant : « Ralliez-vous à mon panache blanc ». Pour être accepté par son peuple, Henri IV décide de se convertir au catholicisme. En 1594, il est sacré à Chartres et entre victorieusement dans la capitale. Par l'édit de Nantes, en 1598, Henri IV reconnaît de nombreux droits aux protestants et met fin aux guerres de religion.

## Le « bon roi Henri » réorganise le pays et concentre les pouvoirs

Henri IV est un homme intelligent et d'humeur joviale. Il est connu pour être proche du peuple : la « poule au pot » est le plat qu'il veut assurer à tous les paysans le dimanche.
Henri IV décide de tout en Conseil res-treint. Il est aidé par son fidèle ami le duc de Sully qui assainit les finances. On lui doit la reconstruction d'une France ruinée : la présence de l'État se renfor-ce partout, les routes sont restaurées et bordées d'arbres, de nombreux ponts sont construits, comme le Pont-Neuf à Paris (c'est-à-dire le neuvième pont). Grâce à Olivier de Serres , l'agriculture se modernise, à Laffemas, l'industrie du luxe se développe. Sully développe l'ar-mement français, fait construire des galères et encourage le commerce.
Alors qu'il prépare une guerre contre l'Empire et l'Espagne, Henri IV est assassiné en 1610 par Ravaillac.

## Le Vert Galant

À 18 ans, il se marie avec Marguerite de Valois, dite la reine Margot, fille d'Henri II. Marguerite le trouve sale et peu raffiné. Ils ne s'entendront jamais et leur mariage est annulé. Henri IV épouse, en 1600, Marie de Médicis. Le roi est connu pour ses conquêtes amou-reuses, d'où son surnom : le Vert Galant. Il aura 16 enfants de 5 mères diffé-rentes, tous sont élevés au château de Saint-Germain. Il veut que ses enfants l'appellent Papa et non pas Monsieur comme le voudrait le protocole.

# Marie de Médicis

## [1573-1642]

## Le sais-tu ?

• Marie de Médicis est élévée dans le célèbre palais Pitti de Florence.

• C'est à l'occasion du mariage d'Henri IV avec Marie de Médicis en 1600 qu'est créé le premier Opéra, « Eurydice ».

• Les tableaux peints par Rubens pour Marie de Médicis sont aujourd'hui conservés au Louvre.

• Le style baroque triomphe en France.

• La femme de Concini, Leonora Galigaï, est une amie d'enfance de la reine. Après l'assassinat de son mari, elle est accusée de sorcellerie et meurt sur le bûcher.

# Une régente qui se brouille avec son fils

## Une reine jalouse

Fille du grand duc de Toscane, elle a 27 ans lorsqu'elle arrive en France, dans un cortège somptueux, pour épouser Henri IV. Jalouse, elle fait souvent des scènes au roi, car celui-ci ne cache pas qu'il aime d'autres femmes. Marie se méfie surtout d'Henriette d'Entragues à qui le roi aurait promis le mariage.

## Une régente sous influence

Avec l'assassinat d'Henri IV, Marie de Médicis devient régente au nom de son fils Louis XIII âgé de 9 ans. Sans grand jugement, elle est influencée par son entourage et gouverne avec Concini (le maréchal d'Ancre). Celui-ci pille les caisses du royaume et écarte les anciens conseillers d'Henri IV. Les grands du royaume se soulèvent et Marie convoque, en 1614, les États généraux, assemblée des députés des 3 ordres (clergé, noblesse, tiers état) de toutes les provinces. Un député du clergé, Richelieu, se fait remarquer. Marie de Médicis et Concini se rapprochent de l'Espagne catholique, ce qui inquiète les protestants et leur chef, Condé. En 1617, Louis XIII, exaspéré, fait assassiner Concini et écarte sa mère des affaires.

## Une triste fin

Alors que Richelieu devient ministre grâce à Marie de Médicis, celle-ci est vite jalouse de son influence. Lors de la fameuse « journée des Dupes », en 1630, Marie essaye d'obliger Louis XIII à renvoyer Richelieu. Finalement, le roi choisit de garder son ministre et la reine mère est enfermée à Compiègne. Elle parvient à s'en échapper en 1631 et ne reverra jamais son fils. En manque d'argent, elle erre d'un pays à un autre et se brouille avec tout le monde. Le peintre Rubens lui offre alors une petite maison à Cologne, où elle meurt en 1642.

## Une amie des arts

Sur le plan artistique, Marie fait construire à Paris le palais du Luxembourg et s'emploie à le décorer somptueusement. Pour cela, elle s'entoure des meilleurs peintres comme Philippe de Champaigne ou Rubens à qui elle commande, en 1622, une série de 21 tableaux retraçant son histoire.

# Louis XIII le Juste

[1601-1643]

♛ 1610 à 1643

## Le sais-tu ?

• Louis XIII aime la chasse et vient souvent dans son pavillon de Versailles. Cette passion contribue à le rendre solitaire, car il est timide et bègue.

• En 1631, Théophraste Renaudot créé le premier journal, « La Gazette », qui paraît une fois par semaine. Louis XIII y écrit plusieurs articles.

• En 1634, Richelieu fonde l'Académie française.

• Louis XIII est un monarque pieux : il dédie le royaume à la Vierge Marie.

• L'Église catholique est en pleine renaissance, avec notamment saint Vincent de Paul qui s'occupe des pauvres et crée, avec l'aide de Louise de Marillac, les Filles de la Charité.

# Un roi réfléchi
# et très bien conseillé

### Un roi modéré… mais qui prend le pouvoir avec force

Louis XIII n'a que 9 ans à la mort de son père Henri IV. C'est sa mère, Marie de Médicis, qui gouverne avec Concini. Le roi est un enfant sensible, secret et taciturne. Il aime les travaux manuels, la musique et le dessin. Toute sa vie, il est un exemple de modération : il vit loin du luxe, du jeu et des amours, mais il peut être impitoyable si on le trahit. Les débuts de son règne sont marqués par la révolte des grands et par la tenue des États généraux en 1614. Agacé d'être tenu éloigné des affaires, Louis XIII décide, sur les conseils de son ami Luynes, de faire assassiner Concini. Lors de ce « coup de majesté », il a 16 ans et prend réellement le pouvoir.

### Le grand Richelieu à l'œuvre

C'est en 1624 que Richelieu devient « principal ministre ». Le roi et son ministre renforcent l'absolutisme royal et affaiblissent la noblesse en faisant démolir des châteaux et interdire les duels. Ils se heurtent à l'agitation protestante. En 1628, Richelieu s'empare de la ville de La Rochelle, ville protestante qui soutient un débarquement anglais, après un siège de 15 mois.

Depuis 1618, l'Europe est déchirée par la guerre de Trente ans. Richelieu s'entoure de quelques personnes habiles, comme le père Joseph (appelé l'*Éminence grise*) pour négocier avec les pays européens. La France entre en guerre contre l'Espagne en 1635 : ce qui mécontente la reine mère et le parti dévot favorables à l'Espagne. En 1643, le duc d'Enghien remporte l'éclatante victoire de Rocroi qui marque le début de la domination militaire de la France en Europe.

Richelieu recrée une marine militaire et marchande pour développer le commerce et contribue à l'établissement de colonies (Canada, Guyane, Sénégal, Martinique, Réunion, Madagascar).

### Que de complots !

De multiples complots contre le roi et contre Richelieu marquent le règne. Le frère du roi, Gaston d'Orléans, est si ambitieux qu'il est prêt à livrer des secrets d'État pour monter sur le trône. À la fin du règne, Louis XIII est trahi par son ami Cinq-Mars : celui-ci est exécuté à Lyon. Richelieu meurt en 1642, il est remplacé par Mazarin. Louis XIII meurt un an plus tard.

# Anne d'Autriche

## [1601-1666]

## Le sais-tu ?

• Anne d'Autriche a une telle personnalité que le célèbre écrivain du XIX<sup>e</sup> siècle, Alexandre Dumas, lui donne une grande place dans ses romans : « Les Trois Mousquetaires » et « Vingt ans après ».

• Mazarin (Giulio Mazarini) est d'origine sicilienne. Il est remarqué par Richelieu pour ses talents de diplomate. Il est bel homme, rusé, habile mais cupide. Bien que cardinal, Mazarin n'a jamais été prêtre !

• Pendant la Fronde, de nombreux petits écrits satiriques sont composés contre Mazarin, on les appelle : les Mazarinades.

# Une reine intrigante
# et une régente courageuse

## Une reine belle, fière et imprudente

Fille de Philippe III d'Espagne et de Marguerite d'Autriche, elle a 14 ans lorsqu'elle épouse Louis XIII en 1615. Par cette alliance, Marie de Médicis veut rapprocher la France de l'Espagne catholique. Anne d'Autriche est une belle femme mais de nature froide et fière. Elle ne s'entend guère avec son mari qui se méfie d'elle car elle se mêle de politique. Anne d'Autriche déteste Richelieu, qui mène une politique anti-espagnole, au point qu'elle participe à tous les complots tramés contre lui. Et elle n'hésite pas à entretenir une correspondance secrète avec son frère Philippe IV d'Espagne alors en guerre contre la France ! Puis, elle est compromise par l'amour que lui porte le duc de Buckingham.

## Une régence mouvementée, mais fructueuse

À la mort de Louis XIII, en 1643, elle devient régente et gouverne avec le cardinal Mazarin, qu'elle aurait, dit-on, épousé secrètement. Son souci est désormais d'offrir à son fils un royaume uni et pacifié.

Entre 1648 et 1653, la régente doit faire face à la révolte des nobles qui exigent le renvoi de Mazarin : c'est la Fronde. Elle quitte le Louvre et se réfugie dans le château de Saint-Germain avec ses fils, fait assiéger Paris qui est aux mains des frondeurs, et fait mine d'abandonner son ministre. Mais le chef des frondeurs, Condé, multiplie les erreurs politiques et Anne d'Autriche peut rentrer à Paris et rappeler Mazarin. C'est une reine dure, sèche et autoritaire mais, en s'opposant à la Fronde, elle montre un grand courage et sauve la monarchie. Avec Mazarin, elle signe la paix avec l'Autriche (traité de Westphalie, en 1648) et avec l'Espagne (traité des Pyrénées, en 1659).

## Enfin arrive le fils tant attendu !

Anne d'Autriche et Louis XIII attendent 23 ans avant de donner naissance à Louis Dieudonné en 1638 (Louis XIV), leur second fils, Philippe d'Orléans, naît deux ans plus tard.
À partir du gouvernement personnel de Louis XIV (1661), Anne d'Autriche ne joue plus aucun rôle politique et s'installe au Val de Grâce où elle meurt en janvier 1666.

# Louis XIV le Grand

[1638-1715]

## 1643 à 1715

## Le sais-tu ?

• Louis XIV meurt à 77 ans et règne 72 ans : c'est le plus long règne de l'histoire de France.

• Un petit-fils de Louis XIV devient roi d'Espagne (Philippe V) en 1700.

• Dans sa jeunesse, Louis XIV dansait, paraît-il, admirablement bien .

• L'art qui se développe sous Louis XIV est appelé le classicisme.

• Louis XIV, qui mesure 1 m 65, atteint 1 m 80 avec ses talons et sa perruque !

• En 1682, Cavelier de la Salle donne aux terres qu'il explore en Amérique le nom du roi (Louisiane).

• Louis XIV fait du pavillon de chasse de son père un château splendide : il donne à Versailles de grandes fêtes avec feux d'artifice et jeux d'eaux.

• Le célèbre écrivain Bossuet était le précepteur du Grand Dauphin.

# Le « roi soleil » était-il bien éclairé ?

## Le triomphe de la monarchie absolue

Louis XIV a 5 ans à la mort de son père. Il fait son apprentissage politique auprès de Mazarin qui meurt en 1661 et qui laisse au jeune roi une équipe de ministres compétents et une situation internationale favorable à la France. Louis XIV annonce alors qu'il gouvernera seul : il a 22 ans. Il a les qualités pour exercer ce qu'il appelle « le métier de roi » : travail assidu, curiosité, diplomatie, maîtrise de soi.

## La France devient le pays le plus puissant d'Europe

Pour renforcer l'absolutisme, le roi réforme la justice et tient à ce que l'ordre règne partout. Il veut aussi rétablir l'unité religieuse : il met fin au jansénisme et combat le protestantisme en révoquant l'édit de Nantes (1685). Grâce à Colbert, l'activité économique se développe. Il veut faire entrer le plus d'argent possible dans le royaume en donnant la priorité aux compagnies commerciales, aux manufactures (les Gobelins, Saint-Gobain) et au développement des colonies : c'est le mercantilisme. La France est la pre-mière puissance européenne grâce à l'action de Le Tellier, de son fils Louvois, et de Vauban qui édifie des fortifications imprenables. Louis XIV mène 4 guerres qui coûtent cher et appauvrissent le pays. En plus, le roi crée des impôts impopulaires.

## Le rayonnement de Versailles

Marqué dans son enfance par la Fronde, Louis XIV surveille la noblesse par le biais de la cour qu'il installe dans le château de Versailles en 1682. Le roi impose le respect de « l'étiquette » (tout est codifié et minuté). De grands architectes travaillent à la construction du château et à la beauté des jardins : Le Vau, Le Brun, Le Nôtre, Hardouin-Mansart. Louis XIV protège de nombreux artistes comme Lully et Couperin, Molière ou Racine.

Versailles est aussi le théâtre des amours du roi. Louis XIV se marie avec Marie-Thérèse d'Autriche (fille du roi d'Espagne) avec qui il a 6 enfants dont un seul survit : le Grand Dauphin. La reine mène une vie triste et effacée, car elle est supplantée par les maîtresses du roi (Louise de La Vallière, la marquise de Montespan ou Madame de Maintenon).

# Madame de Maintenon

## [1635-1719]

## Le sais-tu ?

• Madame de Maintenon (Françoise d'Aubigné) est la petite fille du célèbre écrivain, Agrippa d'Aubigné, ancien compagnon d'armes d'Henri IV.

• Madame de Maintenon est l'épouse morganatique de Louis XIV, c'est-à-dire que, étant issue d'un rang inférieur, elle ne peut pas porter le titre de reine.

• C'est sous l'influence de Madame de Maintenon que le grand écrivain Fénelon devient le précepteur du duc de Bourgogne, petit-fils de Louis XIV et père de Louis XV.

# Sa vie est un véritable roman !

## Qui est donc cette femme ?

Madame de Maintenon s'appelle en réalité Françoise d'Aubigné. Elle naît en prison où ses parents ont été enfermés pour trahison. Ensuite, la famille s'installe en Martinique. Françoise ne revient en France qu'à la mort de son père et achève son éducation dans des couvents catholiques. Alors qu'elle n'a que 16 ans, sa famille, étant à bout de ressources, l'oblige à épouser le poète et écrivain comique Scarron, qui est infirme et qui a 25 ans de plus qu'elle !

## Comment devient-elle marquise de Maintenon ?

Après la mort de Scarron, elle est chargée de s'occuper secrètement de l'éducation des enfants de Louis XIV et de Madame de Montespan. C'est en venant voir ses enfants que le roi la rencontre. Belle et pleine d'esprit il lui porte attention et lui donne le titre de marquise de Maintenon.

Sa modestie et sa dignité sont appréciées du roi qui l'épouse secrètement après la mort de la reine Marie-Thérèse en 1683. Mais Madame de Maintenon ne porte pas le titre de reine.

## Son rôle auprès de Louis XIV

Très pieuse, Madame de Maintenon se plaît à faire la morale au roi et tente de renforcer sa piété. Elle vit auprès de lui et l'assiste fréquemment dans son travail. Louis XIV prend souvent conseil auprès de celle qu'il appelle « Votre solidité », mais la famille royale ne l'aime guère. Favorable à la conversion des protestants, elle se réjouie de la révocation de l'édit de Nantes (1685). Son rôle politique est assez faible, même si nul ne peut plaire au roi s'il déplaît à Madame de Maintenon. Sous son influence, la cour de Versailles devient stricte et austère. Elle déteste le grand ministre de la guerre, Louvois, qui le lui rend bien, car elle est pacifique et souffre des misères de la guerre.

## La maison de Saint-Cyr

Madame de Maintenon est très intéressée par la pédagogie, elle a écrit plusieurs livres à ce sujet. Elle fonde la maison de Saint-Cyr pour l'éducation de jeunes filles nobles sans fortune. À la mort du roi, en 1715, c'est là qu'elle se retire à 80 ans. C'est pour cet établissement que le célèbre Racine écrit deux pièces de théâtre : *Esther* et *Athalie*.

# Louis XV le Bien-Aimé
## [1710-1774]

 **1715 à 1774**

## Le sais-tu ?

• Louis XV, surnommé le Bien-Aimé à son avènement, meurt détesté par son peuple.

• Louis XV a 10 enfants avec la reine Marie Leszczynska. À la première naissance il n'y a pas une, mais deux filles : on les appelle alors, Madame première et Madame seconde !

• En 1768, Gênes cède la Corse à la France.

• Sous Louis XV, les questions religieuses sont toujours d'actualité : il doit faire face à l'agitation des Jansénistes, interdit les Jésuites et prend des mesures contre les protestants.

• Le premier volume de l' « Encyclopédie » écrite par Diderot et d'Alembert est publié en 1751.

• Les parlements, que l'on trouve à Paris et en province, sont des lieux où s'exerce la justice royale.

# Une France prospère, mais un règne critiqué

## Un règne qui débute avec la Régence

Louis XV n'a que 5 ans lorsqu'il monte sur le trône à la mort de son arrière-grand-père, Louis XIV. Mais c'est Philippe d'Orléans, appelé le Régent, qui assure le pouvoir jusqu'en 1723. Louis XV est bel homme, intelligent, mais secret, timide et indécis. Pour régler les difficultés financières, le Régent fait appel à un banquier écossais : John Law. Celui-ci relance l'économie en émettant du papier-monnaie (billets). Le succès est rapide, mais s'achève sur une lamentable banqueroute quelques années plus tard.

## Un règne qui finit moins bien qu'il n'avait commencé

Après la mort du Régent, Louis XV gouverne entouré de ministres compétents (Fleury, Orry, Choiseul, Maupeou). La première partie du règne est une période de prospérité économique : les finances sont rétablies, le réseau routier est reconstruit et la vie quotidienne de la population s'améliore. Malgré la victoire de Fontenoy, en 1745, les guerres de Succession d'Autriche (1740-1748) et de Sept Ans (1756-1763) pèsent lourdement sur le budget et ternissent la popularité du roi. À l'issue de la guerre de Sept Ans, la France met fin à sa domination sur le Canada et sur la Louisiane et perd les territoires conquis en Inde (sauf 5 comptoirs). Puis, le roi doit faire face à l'agitation des parlements. Il ne parvient pas à concevoir les réformes dont le pays a besoin, ni à s'adapter aux idées nouvelles développées par les philosophes des Lumières (Montesquieu, Voltaire, Rousseau, Diderot) qui critiquent la monarchie absolue.

## Une vie amoureuse mouvementée

Louis XV épouse Marie Leszczynska en 1725. Elle est la fille d'un roi de Pologne réfugié en France. Le roi remplace la reine par de nombreuses favorites, la marquise de Pompadour ou Madame du Barry, qui ont une mauvaise influence sur lui. Très aimé au début de son règne le peuple ne lui pardonne pas son train de vie somptueux et ses nombreuses maîtresses. Lorsqu'il meurt de la petite vérole en 1774, il est si impopulaire, qu'on l'enterre discrètement en pleine nuit.

# Louis XVI
## [1754-1793]

 **1774 à 1792**

## Le sais-tu ?

• La société française est répartie en trois ordres : le clergé, la noblesse et le tiers état. Les deux premiers ordres bénéficient de privilèges et les inégalités provoquent la rancune du tiers état.

• L'élection des députés des États généraux s'accompagne de la rédaction de « cahiers de doléances ».

• Les sans-culottes sont les gens du peuple qui portent des pantalons longs.

• Le gouverneur de la Bastille, de Launay, est le premier mort de la Révolution.

• Le drapeau français est composé du bleu et du rouge (couleurs de Paris), et du blanc (couleur de la monarchie).

# Un règne balayé par l'histoire

## Des débuts difficiles

Louis XVI a 20 ans lorsqu'il accède au trône. Grand chasseur, c'est un homme cultivé qui s'intéresse à l'histoire, à la géographie, aux mathématiques et aux sciences, mais peu à la politique. Timide, il fait confiance à son ministre, Maurepas. La France finance la guerre d'Indépendance américaine : ce qui accentue le déficit. Toutes les propositions de réforme des ministres des Finances successifs sont repoussées par les privilégiés. De 1787 à 1789, les récoltes sont mauvaises, le pain manque et les révoltes grondent. Le roi convoque alors les États généraux qui s'ouvrent le 5 mai 1789 à Versailles.

## Louis XVI face à la Révolution

Très vite, une opposition se dessine entre le roi et les parlementaires qui condamnent l'absolutisme à l'image des idées défendues par les philosophes des Lumières. Les députés se répartissent entre le clergé, la noblesse et le tiers état. Le roi tente de s'opposer aux revendications des députés du tiers état qui se proclament «Assemblée nationale» et jurent de ne pas se séparer avant la rédaction d'une Constitution (le «serment du Jeu de paume»). Le roi multiplie les erreurs et renvoie un ministre populaire Necker : c'est le prélude au soulèvement du 14 juillet et de la prise de la Bastille. De Paris, la Révolution s'étend au reste du royaume. Le 5 octobre, des milliers de Parisiens marchent sur Versailles et obligent la famille royale à s'installer à Paris.

## La fin de la monarchie absolue et de l'Ancien Régime

L'Assemblée met fin à l'Ancien Régime : Louis XVI fait mine d'accepter les transformations (abolition des privilèges, Déclaration des droits de l'homme et du citoyen, Constitution civile du clergé). Le roi et sa famille tentent de fuir en juin 1791 mais, reconnus à Varennes, ils sont ramenés à Paris sous les quolibets. Louis XVI devient un roi constitutionnel à l'image du roi d'Angleterre. Mais l'entrée en guerre contre l'Autriche est fatale à la monarchie qui s'effondre le 10 août 1792. La famille royale est alors enfermée dans la prison du Temple. Condamné à mort, Louis XVI est guillotiné le 21 janvier 1793 sur l'actuelle place de la Concorde.

# Marie-Antoinette

## [1755-1793]

## Le sais-tu ?

• Les textes et les caricatures qui circulent sur Marie-Antoinette la dépeignent comme une femme frivole, dépensière et infidèle.

• Peu après la chute de la monarchie, la I$^{re}$ République est proclamée le 21 septembre 1792 : c'est le premier jour du calendrier révolutionnaire. On invente des noms de mois, comme Ventôse (mois du vent) ou Thermidor (mois de la chaleur).

• Pendant longtemps, certains ont cru que Louis XVII était parvenu à s'évader du Temple et qu'il n'était pas mort en 1795. Aujourd'hui, on sait qu'il s'agissait bien du fils de Marie-Antoinette.

# « L'Autrichienne » n'était pas seulement frivole et coquette

### Une jeune reine mal-aimée

Marie-Antoinette est la fille de la grande impératrice d'Autriche, Marie-Thérèse. À 15 ans elle épouse le Dauphin qui en a 16. Quatre ans plus tard, le jeune couple monte sur le trône de France et tout le monde croit en l'avènement d'un âge d'or !

C'est une jeune fille sensible, jolie, gaie et coquette. Peu instruite mais exubérante, elle n'aime pas se plier aux subtilités de la cour : la famille royale ne l'aime guère. Elle se réfugie dans son hameau de Trianon où elle est entourée d'amis. Mais elle dépense beaucoup d'argent en bijoux et en vêtements : cela la rend impopulaire et on la surnomme « Madame Déficit » ! De plus, elle n'a pas une bonne influence politique, et elle est calomniée par « l'affaire du collier » qui est monté de toutes pièces pour faire croire qu'elle reçoit des rendez-vous galants.

### « L'Autrichienne » est une femme courageuse

Dès le début de la Révolution, elle montre un caractère ferme et courageux. Elle aide Louis XVI à trouver l'énergie qui lui fait défaut. Elle l'encourage à négocier avec son frère, l'empereur d'Autriche. Mais la fuite à Varennes en juin 1791 est un échec. Cette fuite est organisée par le bel officier suédois, Axel de Fersen. Lors de la déclaration de guerre, en avril 1792, elle souhaite ouvertement la défaite des troupes révolutionnaires. Elle est plus que jamais la cible des moqueries : tout le monde la déteste et l'appelle « l'Autrichienne ». Enfermée au Temple avec sa famille, elle fait preuve d'une grande dignité. Un jour, elle voit au bout d'une pique la tête d'une de ses amies, épouvantée, ses cheveux deviennent blancs du jour au lendemain !

### Une fin terrible

Peu après la mort du roi, elle est emprisonnée à la Conciergerie et séparée de son fils. Elle est jugée en 2 jours devant le Tribunal révolutionnaire : elle est guillotinée le 16 octobre 1793. Le petit Louis XVII meurt par manque d'hygiène en 1795. De Louis XVI, Marie-Antoinette a quatre enfants : seule sa fille aînée, Marie-Thérèse, traverse la Révolution et épouse son cousin, le duc d'Angoulême.

# Napoléon I<sup>er</sup> et

**[1769-1821]**

 1804 à 1814

 1852 à 1870

## Le sais-tu ?

• Napoléon est sacré le 2 décembre 1804 et gagne la victoire d'Austerlitz le 2 décembre 1805. Dés lors, le 2 décembre devient une date fétiche.

• En 1796, Napoléon épouse Joséphine de Beauharnais : elle a deux enfants. Sa fille, Hortense, épouse un frère de Napoléon I<sup>er</sup>, et elle est la mère de Napoléon III.

• De Marie-Louise, Napoléon I<sup>er</sup> a un fils : on l'appelle le roi de Rome, l'Aiglon ou Napoléon II.

• Napoléon III se marie avec Eugénie de Montijo. Leur fils unique meurt au Zoulouland en 1879.

• Napoléon I<sup>er</sup> meurt à Sainte-Hélène, en 1821 : il est enterré aux Invalides. Napoléon III meurt en Angleterre en 1873.

# Napoléon III

## Une nouvelle dynastie ?

### Bonaparte devient empereur

Napoléon Bonaparte appartient à une famille noble corse. Attiré par la politique, il adhère aux idées révolutionnaires à partir de 1793. Bon stratège, il devient général à 24 ans ! En 1798, il part pour l'Égypte. Après la victoire des Pyramides, l'expédition tourne mal et Bonaparte rentre en France. Mais le régime en place, le Directoire, est instable. Bonaparte fait un coup d'État le 18 Brumaire de l'an VIII (9 novembre 1799) et met en place le Consulat. Le 2 décembre 1804, il est sacré empereur par le pape, dans la cathédrale Notre-Dame : il devient Napoléon I$^{er}$.

### Le fondateur d'une nouvelle dynastie ?

Napoléon se pose en continuateur de la Révolution. Son œuvre (signature du Concordat, création de la Banque de France, établissement du franc germinal, organisation administrative nouvelle, rédaction du Code civil) transforme la société tout en s'appuyant sur les principes révolutionnaires. Mais très vite, Napoléon s'identifie aux monarques de son temps : il épouse la fille de l'empereur d'Autriche, Marie-Louise, qui lui donne un héritier. Il donne aux membres de sa famille des titres princiers, place ses frères sur les trônes d'Europe et crée une noblesse d'Empire. Ceux qui ne l'aiment pas l'appellent « l'usurpateur ». En 1812, sa politique d'expansion subit un échec en Russie. L'Europe se soulève et il doit abdiquer, en 1814. Exilé à l'Île d'Elbe, il s'échappe et reprend le pouvoir pendant trois mois (les « Cent-Jours »). La défaite de Waterloo, le 18 juin 1815, met fin à l'épopée napoléonienne.

### Les Bonaparte sont de retour !

Après 1815, la légende napoléonienne fait encore rêver de nombreux Français. À la mort de son fils, en 1832, les espoirs des Bonapartistes se reportent sur l'aîné des neveux de l'empereur, Louis-Napoléon. Celui-ci vit en exil mais, en 1848, il devient le président de la II$^e$ République. Le 2 décembre 1851, il réussit un coup d'État qui lui permet d'établir, un an plus tard, le Second Empire : il devient Napoléon III. Ce régime est marqué par des progrès industriels et par une politique extérieure audacieuse. Mais la guerre contre la Prusse fait tomber le régime, en 1870.

# Louis XVIII et Ch

♛ 1814 à 1824

♛ 1824 à 1830

## Le sais-tu ?

• Pendant 22 ans (de 1792 à 1814), et pour la première fois dans son histoire, la France ne connaît plus de roi. Elle vit sous d'autres formes de régimes : République, Directoire, Consulat, Empire.

• Le célèbre écrivain Chateaubriand est un des ministres des Affaires étrangères de Louis XVIII. C'est lui qui encourage le roi à entrer en guerre contre l'Espagne en 1823.

• En 1830, les troupes françaises prennent Alger : c'est le début de la colonisation de l'Algérie.

• Madame Royale (fille de Louis XVI et belle-fille de Charles X) avait tellement de caractère que Napoléon disait qu'elle était « le seul homme de la famille » !

• Après son abdication, Charles X se réfugie en Angleterre, et meurt en Autriche, en 1836.

# arles X [1756-1836]

## Le retour des Bourbons sur le trône de France

### Les frères de Louis XVI montent sur le trône !

En 1814, à la chute de Napoléon I$^{er}$, la monarchie est rétablie : c'est la période de la « Restauration ». Louis XVIII, frère de Louis XVI, monte sur le trône à 56 ans. Il est obèse (on l'appelle le « roi-fauteuil ») et souffre de la goutte, maladie qui touche les articulations. C'est un homme cultivé et intelligent, mais hypocrite et fourbe. Lors du décès du petit Louis XVII en 1795, il prend le titre de roi. Lorsqu'il meurt, en 1824, il laisse le trône à son frère Charles X. Ce dernier est un homme frivole et dépensier. Il monte sur le trône à 67 ans.

### La Restauration oublie-t-elle la Révolution française ?

Louis XVIII et Charles X réprouvent les évolutions de la Révolution, mais ne peuvent pas rétablir la monarchie absolue : ce sont des rois constitutionnels (ils gouvernent avec un parlement composé de députés élus) et leur pouvoir est défini par un texte (la « charte »). Leurs règnes sont marqués par le rôle des ultraroyalistes (les « ultras ») qui veulent revenir à l'Ancien Régime. Au début, Louis XVIII fait preuve de prudence politique, puis laisse trop de place aux ultras. Il quitte la France au moment des « Cent-Jours » et revient après Waterloo. La vengeance s'abat alors sur ceux qui s'étaient ralliés à l'Empereur (c'est la « Terreur blanche »). Plus intransigeant que son frère, Charles X suit une politique réactionnaire. Il n'a pas de vues politiques et il est favorable aux ultras. Il se fait sacrer à Reims (alors que Louis XVIII l'avait prudemment évité). L'opinion y voit un retour à l'absolutisme. Lorsqu'en juillet 1830 son ministre Polignac suspend la liberté de la presse, les protestations débouchent sur trois journées révolutionnaires, appelées les « Trois glorieuses », qui obligent Charles X à abdiquer.

### La fin des Bourbons directs

Louis XVIII et Charles X sont mariés à deux sœurs : Marie-Joséphine et Marie-Thérèse de Savoie. Louis XVIII meurt sans enfant, et Charles X a deux fils : le duc d'Angoulême (marié à Madame Royale) et le duc de Berry qui est assassiné en 1820 et dont le fils, le comte de Chambord, devient l'unique et dernier descendant des Bourbons directs (lui-même n'aura pas d'enfant).

# Louis-Philippe I^er

[1773-1850]

 1830 à 1848

## Le sais-tu ?

• Avant de devenir roi en 1830, Louis-Philippe vécut au Palais-Royal, propriété des ducs d'Orléans.

• La reine Marie-Amélie est une nièce de Marie-Antoinette. Le couple royal a 8 enfants : 5 fils et 3 filles, dont l'une deviendra la première reine des Belges.

• En 1831, l'insurrection des canuts à Lyon (ouvriers du textile) est durement réprimée.

• Louis-Philippe échappe à plusieurs attentats, notamment celui de Fieschi en 1835.

• Le ministre Guizot prononce la phrase célèbre : « Enrichissez-vous par le travail et par l'épargne » !

• La France de Louis-Philippe poursuit la conquête de l'Algérie, sous le commandement du maréchal Bugeaud.

# Le « roi des Français » s'embourgeoise !

## Un ami de la Révolution sur le trône de France

Louis-Philippe est le cousin des rois précédents : il descend du frère de Louis XIV, Philippe d'Orléans. Il est aussi le fils de Philippe Égalité qui avait voté la mort de Louis XVI. Louis-Philippe a été éduqué par Madame de Genlis, ouverte aux idées des Lumières. Il participe à la Révolution et se distingue aux batailles de Valmy et de Jemmapes, en 1792. Après quelques péripéties, il part en exil en Europe et aux États-Unis, avant de s'installer en Sicile. Il ne revient en France qu'en 1817. Lors de l'abdication de Charles X, des hommes politiques, comme Thiers, voient en lui l'homme de la situation. Arrivé sur le trône à l'issu des « Trois glorieuses » (27-28-29 juillet 1830), son règne est appelé la « monarchie de Juillet ».

## Le roi « bourgeois »

Louis-Philippe reprend le drapeau tricolore de la Révolution française et du premier Empire. Il prend le titre de « roi des Français » et non plus « roi de France ». Sous Louis-Philippe, le vote est encore censitaire : c'est-à-dire que seuls les Français les plus riches peuvent voter.

Marié à Marie-Amélie de Bourbon-Sicile, Louis-Philippe n'hésite pas à dire qu'il aime sa femme et qu'il partage le même lit qu'elle : il est la risée de l'aristocratie qui le traite de bourgeois ! Il est d'ailleurs appelé le « roi-citoyen » ou le « roi-bourgeois », car il s'habille et vit comme un bourgeois. À l'avènement de son époux, Marie-Amélie pleure en s'écriant « Quelle catastrophe ! ».

## Le dernier roi

Les débuts du règne sont difficiles, mais il bénéficie de l'aide de bons ministres comme Casimir Perrier, Thiers ou encore Guizot. Sous son règne, la bourgeoisie s'impose de plus en plus dans le domaine politique et économique.

À partir de 1847, une crise économique entraîne une montée du chômage et des revendications. Lors de banquets, des hommes opposés au régime réclament des évolutions sociales et une réforme électorale. C'est l'interdiction d'un banquet prévu à Paris en février 1848 qui entraîne la révolution. Louis-Philippe abdique. La IIe République est proclamée le 24 février 1848.

# Quelques interviews exclusives

Nous avons interrogé un grand roi pour chaque dynastie. À la question : « Que pensez-vous avoir apporté à la France ? ». Voici ce qu'ils nous ont répondu.

## Clovis (481-511)

Une chose est sûre : je peux me flatter d'être le premier roi ! Par mon baptême, je permets à mon peuple de s'unifier autour d'une même foi. Je suis un grand conquérant : je mets fin à la présence romaine en Gaule et je laisse à mes fils un territoire qui s'étend du Rhin à l'Atlantique et de la Manche à la Méditerranée ! Et, j'allais oublier : je choisis Paris comme capitale.

En dehors d'avoir été, en 800, couronné empereur, j'ai donné à mon empire une organisation administrative efficace. Je suis très sensible à l'ordre, j'édicte des lois pour tout ce qui touche à la vie sociale et je garantis à mon peuple une monnaie stable (la livre). Attachant une grande importance à la diffusion du savoir, j'exige que des écoles s'ouvrent partout.

## Charlemagne (768-814)

## Philippe II Auguste (1180-1223)

Ah ! Vous faites bien de me poser la question car, sans vouloir me vanter, j'ai considérablement agrandi le domaine royal et renforcé la centralisation du pouvoir. Ma victoire de Bouvines (1214) témoigne de la force de la monarchie française. Je réorganise durablement l'administration et je favorise le commerce et la bourgeoisie. Puis, je fais de Paris une véritable capitale où j'installe le gouvernement.

## François Ier (1515-1547)

Souvenez-vous de 1515 : la victoire de Marignan, c'est moi ! Si je réforme profondément les finances et les impôts, je suis avant tout le grand roi de la Renaissance. J'ai d'ailleurs aidé financièrement des artistes comme l'architecte Philibert Delorme, le poète Ronsard, le peintre Clouet ou le grand Léonard de Vinci. Mon règne correspond à une nouvelle douceur de vivre, symbolisée par les châteaux que je fais construire au bord de la Loire, comme celui de Chambord.

## Louis XIV (1643-1715)

Ah ! Que dire en quelques mots puisque mon règne est aussi long que riche ! J'impose la monarchie absolue, je protège les artistes et soutiens l'art classique. Mon soleil inonde la terre de ses rayons et la France est la plus grande puissance européenne ! Mes conquêtes (comme le Nord ou l'Alsace) donnent à la France ses contours d'aujourd'hui. Ne dit-on pas que le XVIIe siècle est le « Grand siècle de Louis XIV » ?

# Les rois
# et leurs demeures

### Des rois itinérants

Des Mérovingiens jusqu'à Louis XIV, les rois sont des souverains itinérants : ils se déplacent d'une résidence à une autre avec leur famille, serviteurs, conseillers et ministres.

Malgré les nombreux déplacements, le rôle privilégié de Paris s'impose dès Clovis. Mais il faut attendre Philippe Auguste (1180-1223) pour que Paris devienne une vraie capitale et le siège des services administratifs (justice, finances). Puis, de Louis XIV à la Révolution, Versailles devient la capitale « royale » et le siège du gouvernement.

### Les châteaux

Lorsque les rois résident à Paris, ils séjournent dans le Palais de la Cité ou au Louvre (surtout sous les Valois et sous Charles V, qui y installe une bibliothèque). Mais beaucoup ne vivent à Paris que quelques mois par an et préfèrent séjourner dans leurs demeures provinciales.

Les résidences royales changent au gré des préférences de chacun. Dagobert aime demeurer à Clichy, Charlemagne choisit Aix-la-Chapelle, les Carolingiens Charles III et Louis IV s'arrêtent souvent à Laon, Louis XI préfère la Touraine et Plessis-lez-Tours, Charles VIII demeure souvent dans son château d'Amboise et Louis XII, dans celui de Blois ; quant à François Ier, il est en perpétuel mouvement entre Paris, Blois et les châteaux qu'il construit : Chambord et Fontainebleau. En dehors des châteaux de la Loire, Henri II et Catherine de Médicis font de longs séjours à Saint-Germain-en-Laye. Louis XIII et Anne d'Autriche se fixent volontiers à Paris, mais Louis XIV s'en méfie depuis la révolte de la Fronde et, en mai 1682, s'installe avec sa Cour et son gouvernement à Versailles. Louis XV et Louis XVI y élisent également domicile.

## Les rois bâtisseurs

Il faut en fait attendre le XIIe siècle, pour voir nos rois devenir des bâtisseurs. Louis VII est le premier à édifier un grand château : à Vincennes. Puis, Philippe Auguste construit le Louvre, qui est d'abord une forteresse avant de devenir un palais agréable grâce aux travaux de Charles V. Ce dernier érige aussi un château à Compiègne sur l'emplacement d'une villa royale mérovingienne. Les rois de la Renaissance édifient de nombreux châteaux sur les bords de la Loire (Amboise, Blois, Chambord). Puis, au XVIIe siècle, Louis XIV transforme le pavillon de chasse de Versailles en un château somptueux.

## Les grands officiers de la Couronne

Dès la dynastie mérovingienne, des familiers entourent le roi et le conseillent. Ils se chargent de tâches domestiques et s'occupent de la table du roi, de ses écuries et de sa chambre. Les rois placent à leur tête un « maire du palais » (*major domus*). Sous les Carolingiens et sous les premiers Capétiens, on retrouve également ces grands officiers : le sénéchal est chargé de l'approvisionnement du palais, le connétable s'occupe de l'écurie et des transports, le bouteiller sert à boire au roi, et le chambrier garde la chambre où est déposé le trésor royal. Mais la fonction de ministre n'apparaît vraiment qu'à la fin du Moyen Âge.

## Les ministres

À partir du XIV$^e$ siècle, seuls le connétable (chef de l'armée), l'amiral (chef de la flotte) et le chancelier (chargé de la justice) participent au gouvernement. Il existe aussi des secrétaires d'État qui sont chargés de rédiger les lettres du roi.

À la Renaissance, au moment où la monarchie devient plus centralisée, les secrétaires d'État (il y en a 4) deviennent de vrais ministres aux côtés du chancelier et du contrôleur général des Finances. Au XVII$^e$ siècle, Richelieu et Mazarin prennent le titre de « principal ministre ». Puis, de Louis XIV à Louis XVI, le triomphe de la monarchie absolue exclu la présence d'un Premier ministre (sauf au début du règne de

# gouvernent-ils ?

Louis XV). Sous Louis XVIII, Charles X et Louis-Philippe, le roi ne détient plus tous les pouvoirs et le chef du gouvernement est appelé « président du Conseil ».

## Comment gouverner ?

Les rois Mérovingiens et Carolingiens convoquent périodiquement une assemblée (appelée « plaid ») qui réunit les grands du royaume (évêques, ducs, comtes) afin de discuter des grandes questions. Les Capétiens prennent également l'habitude, dans toutes les affaires importantes, de consulter un conseil composé des grands vassaux du royaume : c'est la *Curia regis* (Cour du roi). Mais, à partir du XIIIe siècle, l'extension du pouvoir royal ne permet plus au roi de gouverner avec ses vassaux et ces assemblées perdent de leur poids. Désormais, le roi gouverne avec un Conseil.

En dehors des princes et des grands officiers de la Couronne, le Conseil du roi est formé de techniciens et de légistes (bourgeois compétents et dévoués). Sous la monarchie absolue, le rôle du Conseil ne cesse de s'accroître et le roi décide seul.

## Qu'est-ce que la Cour ?

La Cour, appelée Maison du roi, puis Hôtel du roi au Moyen Âge, réunit tous ceux qui y détiennent une charge, ou un office : les plus grandes charges sont données à des nobles (les grands officiers).

La Cour constitue aussi le siège du pouvoir et du gouvernement. Son importance grandit avec l'affirmation du pouvoir royal. Sous Philippe IV le Bel, la Cour comporte déjà 200 personnes ; mais ce n'est rien par rapport aux 1 700 personnes de la cour d'Henri III ou les 7 000 courtisans de Versailles sous Louis XIV ! C'est à partir de la Renaissance que la Cour prend de l'importance : entre Charles VIII et François I$^{er}$, son budget est multiplié par cinq !

De Clovis à Louis XIII, la Cour est itinérante, car les rois se déplacent constamment d'une résidence à une autre. C'est avec Louis XIV que la Cour se fixe en un seul lieu : à Versailles.

## La Cour et son mode de vie

Sous les Valois, la Cour forme une petite société, avec son mode de vie. Le soir on danse et, après le bal, on joue à des jeux (de cartes, de dés ou d'échecs) en risquant parfois beau-

# la Cour

coup d'argent. Pendant la journée, les courtisans font du sport : ils chassent, jouent au jeu de paume, aux boules ou aux quilles. Les joutes et les tournois sont toujours à la mode. Sous les Bourbons, les divertissements évoluent : les ballets sont fréquents (jeune, Louis XIV se produit lui-même sur scène), puis l'opéra et les pièces de théâtre l'emportent au XVIIIe siècle.

La vie à la Cour suit un cérémonial précis, appelé « l'étiquette ». Le roi lui-même s'y conforme de son lever à son coucher et il fait tout en public, même ses besoins : il peut vous recevoir sur sa chaise percée !

## Qui sont les courtisans ?

De François Ier à Louis XIII, ceux qui vivent de manière permanente à la Cour sont les grands officiers de la couronne, la famille royale, les princes, et les ducs.

Louis XIV, qui garde un mauvais souvenir de la Fronde, veut contrôler cette noblesse turbulente et l'attire à Versailles. Une partie très importante de la noblesse déserte alors ses terres et perd tout pouvoir politique dans les provinces. Désormais, pour obtenir les bonnes grâces du roi, le courtisan n'a qu'un but : plaire au monarque et être en « bonne cour » !

# Le sacre des rois : toute une aventure !

## Pourquoi les rois se font-ils sacrer à Reims ?

Le baptême de Clovis à Reims est considéré comme l'événement fondateur de la monarchie française. Dès lors, la ville devient un lieu symbolique. Mais il faut attendre le XIIe siècle pour que les sacres se passent systématiquement à Reims.

Le premier roi sacré est Pépin le Bref, mais il reçoit l'onction à Soissons et non à Reims. Pépin se réfère au sacre que les rois d'Israël recevaient autrefois. Désormais, le roi devient roi car il est choisi par Dieu. Le premier qui se fait sacrer à Reims est Louis Ier le Pieux, en 816.

## Comment se passe le sacre ?

Au IXe siècle, l'archevêque de Reims, Hincmar, raconte qu'une colombe aurait apporté une ampoule contenant l'huile sainte (le saint chrême) utilisée par saint Rémi pour baptiser Clovis. Cette légende fait du baptême de Clovis un véritable « sacre ». Cette « sainte ampoule » aurait été conservée à Reims et aurait servi pour sacrer tous les rois de France jusqu'au XIXe siècle ! Le sacre, qui a toujours lieu un dimanche, suit un rite précis : l'évêque de Reims applique au roi le saint chrême sur la tête, la poitrine, entre les épaules, à la jointure des bras, et enfin sur les mains. Puis le roi promet de protéger l'Église, de faire régner la paix et la justice et de défendre la foi catholique.

Investi d'une puissance divine, le roi devient un intermédiaire entre Dieu et son peuple : on dit qu'il a alors un pouvoir thaumaturge, c'est-à-dire qu'il peut faire des miracles et guérir, par simple toucher, les écrouelles (lésions tuberculeuses du cou).

## Quels sont les attributs du pouvoir royal ?

Lors du sacre, les souverains reçoivent les insignes du pouvoir royal : l'épée (la puissance), l'anneau (alliance entre Dieu et le roi, et entre le roi et son peuple), le sceptre (symbole de l'origine divine de son pouvoir) qu'il tient dans la main droite, la main de justice qu'il tient dans la main gauche, et la couronne (signe de son autorité). La fleur de lis, fleur dédiée à la Vierge Marie, représente également la royauté.

Les Carolingiens ornaient déjà leurs sceptres et leurs couronnes de la fleur de lis, mais c'est Louis VII qui les fait coudre sur les habits du sacre (la tunique et le manteau couleur jacinthe). Au XIVe siècle, Charles V proclame que ces fleurs « sont le signe du royaume de France » : désormais, les armes royales comportent trois fleurs de lis.

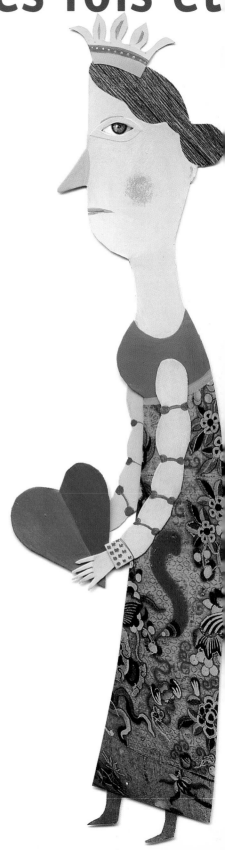

## Comment se décide un mariage royal ?

La future reine de France est toujours choisie en fonction d'intérêts politiques. Il faut donc épouser une princesse de rang élevé dont la dot est intéressante pour le royaume.

Mais les familles princières sont souvent parentes et l'Église leur interdit de se marier en dessous d'un certain degré de parenté. Cela explique le mariage étonnant de Henri I<sup>er</sup> qui, en 1051, va jusqu'à Kiev pour trouver sa femme. Au gré du temps, la règle est de moins en moins respectée et l'Église accorde souvent des dispenses. Cependant, à certaines occasions, cela permet à des couples qui ne s'entendent pas de faire casser leur mariage en attestant de leur parenté, à l'image de Louis VII et d'Aliénor d'Aquitaine ou de Philippe Auguste qui, épouvanté par sa femme Ingeburge le soir de son mariage, invoque leur lien de cousinage pour s'en séparer et en épouser une autre !

## Pourquoi les rois n'épousent-ils pas les femmes qu'ils aiment ?

Les intérêts politiques étant essentiels, ce sont les pères qui décident pour leur fils et les mariages d'amour sont bien rares : d'ailleurs, très souvent les deux mariés se rencontrent pour la première fois le jour du mariage.

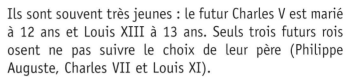

# le mariage

Ils sont souvent très jeunes : le futur Charles V est marié à 12 ans et Louis XIII à 13 ans. Seuls trois futurs rois osent ne pas suivre le choix de leur père (Philippe Auguste, Charles VII et Louis XI).

Aussi, les rois aiment-ils souvent d'autres femmes que la reine : on parle de maîtresses ou de favorites. C'est à partir de Charles VII (XV$^e$ siècle) que les maîtresses des rois se montrent officiellement à la Cour. Quelques-uns ont, au contraire, une conduite exemplaire, comme saint Louis, Philippe IV le Bel ou Louis XVI.

## Quelle était la conduite des reines ?

Puisque les reines ont comme rôle de donner un héritier à la couronne, leur conduite doit être irréprochable. Jusqu'au scandale des brus de Philippe le Bel qui éclate en 1314, il y a rarement des soupçons sur la conduite des reines de France. La première que l'on accuse d'infidélité est Isabeau de Bavière, femme de Charles VI. On lui reproche de collectionner les amants et, pour cette raison, on en vient même à douter de la légitimité du futur Charles VII. Plus tard, Marie-Antoinette, que le peuple n'aimait guère, sera accusée d'entretenir une liaison avec le bel officier suédois, Axel de Fersen.

# Et les reines dans tout ça ?

## Le rôle des reines

Les reines ont d'abord comme rôle de faire des garçons, afin d'assurer la lignée royale. Du IXe au XVIe siècle, la reine est sacrée et couronnée, comme son époux, avec l'huile sainte. Sous les Carolingiens, la reine s'occupe de près de la bonne marche du palais, mais son rôle politique est limité. Elle est davantage associée au pouvoir sous les premiers Capétiens car son nom apparaît dans les actes royaux. Mais son rôle décline à partir du XIIIe siècle.

## Les reines qui ont compté

Certaines reines ont une influence importante : Clotilde agit sur Clovis pour qu'il se convertisse au christianisme ; la reine Berthe au grand pied conseille Pépin le Bref ; Gerberge,

la femme de Louis IV d'Outremer, se voit confier la défense de la ville de Laon ; Blanche de Castille joue un grand rôle politique auprès de son mari Louis VIII et de son fils saint Louis ; Anne de Bretagne montre son indépendance face à ses époux, Charles VIII et Louis XII ; et Catherine de Médicis intervient dans la politique italienne de Henri II, puis auprès de ses fils.

Si ces reines se montrent intelligentes et perspicaces dans les affaires, certaines sont parfois de bien mauvais conseil, comme Frédégonde, la femme de Chilpéric Ier ; Judith de Bavière, la deuxième femme de Louis Ier le Pieux ; Aliénor d'Aquitaine, ou encore Isabeau de Bavière qui donne le royaume à l'Angleterre.

Sous les Bourbons, les reines sont tenues à l'écart du gouvernement, sauf au moment des régences. Après Marie de Médicis, plus aucune reine n'est couronnée.

## Les régentes

Le hasard de l'histoire laisse parfois une place centrale aux reines : lorsque le roi est malade, absent ou que l'héritier est mineur, elles peuvent assurer une régence et accéder à la tête du gouvernement. Sous les Mérovingiens, Brunehaut et Frédégonde dirigent les affaires pour leur fils. Sous les Capétiens, Anne de Kiev est la première régente officielle (en 1059), puis il y a Blanche de Castille (au XIIIe siècle). Plus tard, Louis XI désigne sa fille Anne et son mari, Pierre de Beaujeu, pour assurer la régence au nom du jeune Charles VIII. De la Renaissance à la fin de la monarchie, trois reines successives deviennent régentes : Catherine de Médicis, Marie de Médicis et Anne d'Autriche.

Après la majorité des rois, les reines mères conservent souvent beaucoup d'influence sur leurs fils.

# Tel père, tel fils ?

## La succession et le principe de l'hérédité

Dès Clovis, il est de coutume que le domaine royal revienne aux fils du roi. Sous les Carolingiens, le principe de l'hérédité est renforcé par le sacre. Mais il faut attendre 817 pour que l'on décide que seul le fils aîné succède à son père. Lorsque Hugues Capet est élu par les grands du royaume en 987, on peut penser que le système de l'élection va l'emporter sur l'hérédité. Mais, aussitôt sacré, Hugues Capet associe son fils au trône : il perpétue ainsi l'hérédité. Jusqu'au XIIe siècle, tous les rois font sacrer avec eux leur fils aîné pour assurer la continuité de la dynastie.

## L'éducation des princes

Avec le principe de l'hérédité, rien ne garantit que le fils sera aussi bien que le père ! C'est pourquoi l'éducation du futur roi est très importante. Jusqu'aux premiers Capétiens, les princes sont instruits avec les fils des grands dignitaires du pays. À partir du XIIIe siècle, le prince reçoit seul son éducation, confiée à des précepteurs illustres. L'apprentissage donne une large place à la littérature, au latin, à la philosophie, à l'histoire et à la religion, mais aussi à l'arithmé-tique, à la géométrie et à l'astronomie.

Les princes vivent dans l'entourage de leur père et s'initient dès le plus jeune âge aux théories politiques. Ils apprennent aussi très tôt le maniement des armes (à 7 ans, Dagobert accompagne déjà son père à la guerre) et sont souvent d'excellents chasseurs.

## Affection et disputes royales

Certains rois sont connus pour avoir été attentifs et affectueux avec leurs enfants : Louis VI, saint Louis qui leur raconte des histoires le soir, ou encore Charles V. À la Renaissance, lorsque le cérémonial de cour se précise, les relations deviennent plus contenues entre le père et ses enfants. Seul Henri IV revient à plus de simplicité et on le retrouve un jour à quatre pattes en train de jouer avec ses enfants. Louis XV se montre tendre avec ses filles mais plus distant avec le Dauphin, et Louis XVI est un père aimant qui joue régulièrement avec son fils.

Cependant, les disputes entre père et fils existent aussi : si Robert II est un homme bon, ses deux fils se révoltent contre lui ; Louis VI a également des relations difficiles avec son père, tout comme Louis XI qui se brouille avec son père, Charles VII.

# Le roi et

## Le roi est le premier de tous

Au départ, Clovis s'impose par le prestige qu'il tire de ses conquêtes, mais aussi grâce à la fidélité de ses guerriers. Avec son baptême, son autorité repose également sur son alliance avec l'Église. Sous les Carolingiens et les Capétiens, le roi est investi par le sacre d'une nouvelle mission : celle de faire régner la justice et la paix. En échange de la protection du roi, les sujets lui jurent fidélité : c'est la naissance de la société féodale. Pour récompenser les plus fidèles, le roi leur donne des terres (un fief) : ils deviennent des seigneurs et le roi est leur suzerain (« le plus élevé »). Cette classe dominante forme la noblesse. Certains, comme les ducs de Bretagne, de Normandie ou de Bourgogne, deviennent très puissants et s'opposent parfois au roi. Pour affaiblir cette aristocratie, la monarchie s'appuie sur des bourgeois, se centralise progressivement, puis aboutit à la monarchie absolue de Louis XIV.

## Comment le roi dialogue-t-il avec ses sujets ?

Jusqu'au XIIIᵉ siècle, les rois consultent régulièrement les grands du royaume pour discuter des affaires importantes. Mais, avec l'extension du pouvoir royal, ces consultations laissent place aux États généraux. Ces assemblées sont

# ses sujets

convoquées par le roi pour résoudre des difficultés ou pour obtenir des aides financières importantes. De 1302 à 1789, les états généraux sont réunis 29 fois. Avec la monarchie absolue, ils ne sont plus convoqués entre 1614 et 1789.

À partir du XVe siècle, la réunion des États généraux est accompagnée de l'élection de députés (répartis en trois ordres : clergé, noblesse et tiers état) et de la rédaction de cahiers de doléances dans lesquels les sujets du roi peuvent exprimer leurs souhaits et leurs plaintes.

## Le roi a besoin d'argent !

Mérovingiens et Carolingiens tirent l'essentiel de leurs revenus de l'exploitation des domaines royaux et par des impôts indirects (droits frappant la circulation des marchandises).

Au Moyen Âge, le roi, ayant besoin de plus en plus d'argent pour financer les croisades et les guerres, instaure des impôts permanents comme la gabelle (impôt sur le sel), ou la taille royale payée seulement par le peuple (car le clergé et la noblesse en sont exemptés). Aux XVIIe et XVIIIe siècles, plusieurs impôts sont créés et deviennent très impopulaires.

# Le kikadikoi ?

Les citations suivantes ne sont pas toujours authentiques, mais elles ont traversé l'histoire.
Retrouve les personnages à qui on les attribue.

**1** « Dieu de Clotilde, si tu m'accordes la victoire, je me ferai chrétien ».

**2** « Courbe la tête, Sicambre, adore ce que tu as brûlé, et brûle ce que tu as adoré ».

**3** « Nous qui voulons toujours raison garder ».

**4** « Qui aime me suive ! »

**5** « Si la bonne foi était bannie du reste du monde, on la retrouverait dans le cœur des rois ».

**6** « Il faut bouter les Anglais hors de France ».

**7** « À cœur vaillant, rien d'impossible ».

**8** « C'est la moins folle femme de France ».

**9** « Souvent femme varie et bien fol qui s'y fie ».

**10** « Que de sang et de meurtres ! Ah, que j'ai eu de méchants conseils ».

**11** « Il est encore plus grand mort que vivant ».

**12** « Ralliez-vous à mon panache blanc ».

**13** « Paris vaut bien une messe ».

**14** « Labourage et pâturage sont les deux mamelles de la France ».

**15** « C'est une chose étrange que la légèreté des Français ».

**16** « Savoir dissimuler est le savoir des rois ».

**17** « L'État, c'est moi ».

**18** « Pourquoi pleurez-vous ? M'avez-vous cru immortel ? ».

**19** « C'est en ma personne seule que réside la puissance souveraine, dont le caractère propre est l'esprit de conseil, de justice et de raison ».

**20** « Il n'y a plus de pain, qu'on leur donne de la brioche ».

**21** « Soldats, songez que du haut de ces pyramides, quarante siècles vous contemplent ».

**22** « Impossible n'est pas français ».

**23** « L'exactitude est la politesse des rois ».

**24** « L'Empire, c'est la paix ».

# Réponses

1 Clovis, lors de la bataille de Tolbiac en 496.
2 Saint Rémi, lors du baptême de Clovis.
3 Philippe IV le Bel.
4 Philippe VI de Valois, à la bataille de Cassel, en 1328, pour encourager ses troupes.
5 Jean II le Bon en 1364.
6 Jeanne d'Arc.
7 Jacques Cœur, le riche argentier de Charles VII en 1449, lorsqu'il prêta beaucoup d'argent au roi pour sa lutte contre les Anglais.
8 Louis XI, en 1483, au moment de confier la régence à sa fille Anne de Beaujeu.
9 François Ier.
10 Charles IX sur son lit de mort, se lamentant d'avoir autorisé le massacre de la Saint-Barthélemy.
11 Henri III, devant la dépouille d'Henri de Guise qu'il venait de faire assassiner au château de Blois, en décembre 1588.
12 Henri IV, en 1590, à la bataille d'Ivry.
13 Henri IV, en 1593, en abjurant définitivement le protestantisme (phrase qu'il n'a sans doute jamais dite).
14 Le grand ministre d'Henri IV, Sully.
15 Louis XIII, en 1635.
16 Richelieu.
17 Louis XIV, en 1655 devant le Parlement.
18 Louis XIV sur son lit de mort à Madame de Maintenon, en 1715.
19 Louis XV, en 1766.
20 Marie-Antoinette, en 1789 (phrase qu'elle n'a sans doute jamais dite).
21 Napoléon Bonaparte, devant les pyramides, lors de la campagne d'Égypte, en 1798.
22 Napoléon Ier.
23 Louis XVIII.
24 Napoléon III, en 1852, pour rassurer les adversaires au régime impérial.

## Clovis et la formation du royaume franc

En 486, à l'avènement de Clovis, les Francs ne sont présents que dans le nord-est de la France. À la mort de Clovis, en 511, le royaume franc s'étend du Rhin à l'Atlantique et de la Manche à la Méditerranée. En 537, le royaume franc est plus étendu que la France d'aujourd'hui.

- Royaume franc de Clovis vers 486
- Conquêtes de Clovis jusqu'en 507
- Conquêtes de Clovis après 507
- Acquisitions de 534
- ·········· Royaume franc à la mort de Clovis en 511
- Acquisitions de 537

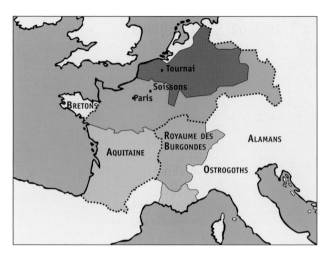

## L'empire de Charlemagne et le partage de 843

L'empire de Charlemagne s'étend jusqu'en Europe centrale. Lors du traité de Verdun, en 843, l'empire carolingien est divisé entre les trois petits-fils de Charlemagne : Charles II le Chauve reçoit la majeure partie de la France actuelle. La frontière orientale est celle du royaume jusqu'au XIVe siècle.

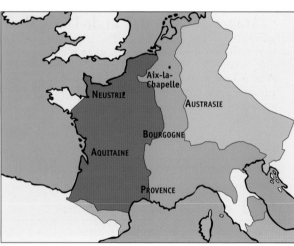

- Royaume de Charles le Chauve
- Royaume de Lothaire
- Royaume de Louis le Germanique

## La France de Philippe II Auguste

En 987, les possessions d'Hugues Capet se réduisaient à l'Île de France et à l'Orléanais. Le domaine royal s'étend peu à peu, mais c'est pendant le règne de Philippe II Auguste que le territoire français s'agrandit considérablement. Le roi récupère une partie importante des possessions anglaises en France.

- Domaine royal de Philippe Auguste en 1223
- Autres fiefs
- Possessions anglaises en France en 1223
- Possessions de l'Église
- - - - - Territoires reconquis sur les possessions anglaises

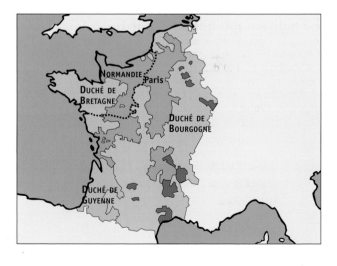

## La France pendant la guerre de Cent Ans en 1429

Lors du traité de Troyes en 1420, le territoire français est divisé entre le royaume de France, les possessions de l'Angleterre et celles du duché de Bourgogne. De plus, le Dauphin Charles est déshérité au profit du roi d'Angleterre : il est alors appelé « le petit roi de Bourges ». Grâce à l'action de Jeanne d'Arc, Charles VII reconquiert progressivement son royaume.

- Territoire de Charles VII (Royaume de Bourges)
- Territoire sous domination bourguignonne
- Territoire sous domination anglaise
- - - - - Limites du Saint Empire

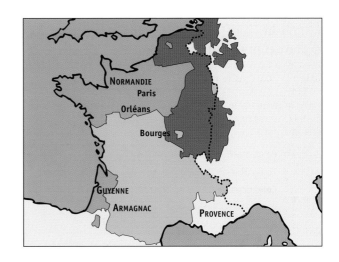

## La France de Louis XIV et de Louis XV

Sous Louis XIV, le domaine royal s'agrandit d'une partie du Nord, de l'Alsace et de la Franche-Comté. Avec le rattachement du duché de Lorraine et de la Corse sous Louis XV, il ne manque plus à la France que le comté de Nice et la Savoie qu'elle obtiendra en 1860.

- Acquisitions de la France sous Louis XIV
- Royaume de France
- Acquisitions territoriales sous Louis XV
- Possessions de l'Église

## L'Empire napoléonien en 1812

L'épopée napoléonienne marque un accroissement territorial considérable. En 1812, l'empire français est composé de 130 départements. En plus de cela, l'Espagne, l'Italie et toute une partie de l'Allemagne et de la Pologne sont des États vassaux de la France : plusieurs d'entre eux sont gouvernés par un membre de la famille Bonaparte.

- France des 130 départements
- Dépendance de l'Empire français
- États vassaux
- États alliés
- États adversaires

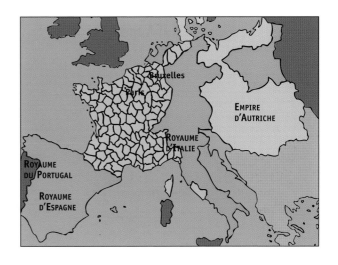

# Mots-clés

**Abbaye :** Ensemble de bâtiments dans lesquels vivent des moines ou des moniales. On parle aussi de Monastères.

**Ancien Régime :** Expression qui désigne la période qui va de François I$^{er}$ à la Révolution de 1789 pendant laquelle la France est une monarchie absolue. Le roi règne sur une société formée de trois ordres inégaux : le clergé, la noblesse et le tiers état.

**Baroque :** Style artistique né en Italie au XVI$^e$ siècle et qui s'étend en Europe aux XVII$^e$ et XVIII$^e$ siècle. Le baroque se caractérise par l'exubérance des formes et l'abondance des ornements.

**Capitulaires :** Lois des rois carolingiens.

**Cathare :** Adepte d'un mouvement religieux qui prêche un retour à la pureté et qui s'étend dans le midi de la France entre le XI$^e$ et le XIII$^e$ siècle. Le cathare mène une vie austère.

**Catholique :** Personne de religion chrétienne qui est liée à l'Église de Rome et reconnaît l'autorité spirituelle du pape.

**Classicisme :** Style artistique et littéraire qui s'épanouit en France sous Louis XIV dans les années 1660-1680 et qui se distingue par sa recherche de la clarté, du naturel et de l'équilibre.

**Comte :** Le comte est un aristocrate qui est d'abord un agent du roi chargé de missions civiles et militaires, puis il devient un puissant seigneur qui détient un comté.

**Duc :** Titre de noblesse le plus élevé après celui de prince. Au Moyen Âge, il existe 4 duchés : Normandie, Aquitaine, Bourgogne et Bretagne.

**Évêque :** Prêtre qui occupe un rang élevé dans l'Église catholique. Il dirige les prêtres de son diocèse (territoire qu'il administre).

**Fief :** Au Moyen Âge, terre qu'un vassal (appelé feudataire) tient de son seigneur en échange duquel il lui rend des services personnels, comme l'aide financière et militaire.

**Les Lumières :** Mouvement intellectuel et philosophique qui domine l'Europe du XVIII$^e$ siècle, qui prône le respect des libertés individuelles et qui condamne l'absolutisme.

**Monarchie absolue :** Régime politique dans lequel le roi a tous les pouvoirs et n'est contrôler par aucun autre. En réalité, le pouvoir royal est limité par l'ensemble des coutumes en vigueur.

**Parlement :** Cour souveraine de justice. Le parlement peut adresser des remontrances au roi avant d'enregistrer un édit (loi dictée par le roi).

**Protestant :** Chrétien appartenant à l'un des mouvements issus de la Réforme qui s'est séparé de l'Église de Rome et qui rejette l'autorité du pape. Les protestants sont aussi appelés les « réformés ».

**Renaissance :** Période qui succède au Moyen Âge et qui s'étend du XV$^e$ au XVI$^e$ siècles. La Renaissance, qui vient du verbe renaître, touche tous les domaines de la connaissance. Elle débute en Italie et s'étend à l'Europe.

**Roi constitutionnel :** L'autorité du roi est soumise à une Constitution ou à une Charte (texte de lois qui organise les pouvoirs et définit les relations entre le roi et ses sujets).

**Traité :** Accord écrit entre États qui met, généralement, fin à une guerre.